J'ESPÈRE,

KATA, QUE CES

Contes de Jos Violon

TE FERONT MIEUX

CONNAÎTRE LA

CULTURE QUÉBECOISE.

MEILLEURS VOEUX
POUR 2008

Louis FRÉCHETTE

Contes de Jos Violon

Édition préparée, présentée
et annotée par

Aurélien Boivin

GUÉRIN

littérature

4501, rue Drolet
Montréal (Québec) H2T 2G2
(514) 842-3481

© Guérin, éditeur ltée, 1999

4501, rue Drolet
Montréal (Québec)
H2T 2G2
Tél.: (514) 842-3481
Téléc.: (514) 842-4923
Courrier électronique: francel@guerin-editeur.qc.ca
Site Internet: http//www.guerin-editeur.qc.ca

Tous droits réservés.
Il est interdit de reproduire, d'enregistrer ou de diffuser,
en tout ou en partie, le présent ouvrage par quelque
procédé que ce soit, électronique, mécanique, photo-
graphique, sonore, magnétique ou autre, sans avoir
obtenu au préalable l'autorisation écrite de l'éditeur.

Dépôt légal
ISBN 2-7601-5480-7
Bibliothèque nationale du Québec, 1999
Bibliothèque nationale du Canada, 1999
IMPRIMÉ AU CANADA

Nous reconnaissons l'aide financière du gouvernement
du Canada par l'entremise du Programme d'Aide au
Développement de l'Industrie de l'Édition (PADIÉ)
pour nos activités d'édition.

Canadä

Révision linguistique: Brigitte Marier
Maquette de la couverture: Guérin éditeur
Illustration de la couverture: Henri Julien – publiée dans
Contes d'autrefois, p. 68 – 1946, Éditions Beauchemin
Illustration de la 4ᵉ de couverture: publiée dans *Les fleurs boréales,*
les oiseaux de neiges, page de garde, 1886, C. O. Beauchemin & Fils.
Mise en pages, infographie: Guérin éditeur

Distribution:
    A.D.G.
    (Agence de distribution Guérin)
    4501, rue Drolet
    Montréal (Québec)
    H2T 2G2
    Tél.: (514) 842-3481
    Téléc.: (514) 842-4923

Distribution en Europe:
    Librairie du Québec
    30, rue Gay Lussac
    75005 Paris
    France
    Tél.: 43544902
    Téléc.: 43543915

LE «PHOTOCOPILLAGE» TUE LE LIVRE

TABLE DES MATIÈRES

PRÉSENTATION

Jos Violon
un vrai conteur populaire au XIXᵉ siècle

De tous les conteurs du XIXᵉ siècle, dont les récits ont été fixés à l'écrit par des littéraires, Jos Violon est indéniablement le meilleur et probablement le plus authentique. Louis Fréchette, qui avait tout mis en œuvre, au début des années 1880, pour assurer sa renommée comme poète en tentant de rivaliser avec Victor Hugo et en se faisant sacrer poète-lauréat par l'Académie française[1], l'a immortalisé dans huit de ses contes, que Victor-Lévy Beaulieu a réunis en recueil en 1974[2], soit un peu moins de soixante-dix ans après la mort de l'écrivain lévisien. Essayons de mieux faire connaître ce conteur exceptionnel, avant de le montrer à l'œuvre, de préciser la richesse de son imaginaire et de révéler ses secrets dans l'art de conter.

Jos Violon, conteur

Fréchette, qui a été souvent impressionné, dans son enfance, par le célèbre conteur Jos Violon, ne rate jamais une occasion de le présenter sous ses beaux jours et de communiquer son admiration pour cet homme exceptionnel. Voilà ce qu'il en dit dans ses *Mémoires intimes:*

> C'était un type très remarquable que celui-là.
> Dans son état civil, il s'appelait Joseph Lemieux;

---

1. Pour les notes de bas de page, voir à la fin de l'introduction.

dans la paroisse il se nommait José Caron; et
dans les chantiers, il était universellement
connu sous le nom de Joe [*sic*] Violon. D'où lui
venait ce curieux sobriquet? C'est plus que je
ne saurais dire. Il se faisait déjà vieux quand je
l'ai connu et il était loin de s'imaginer que
j'évoquerais sa mémoire plus d'un demi-siècle
après sa mort[3].

Ce Jos Violon, ainsi qu'il le baptise dans ses contes
d'abord publiés dans les périodiques[4], à la fin du XIXᵉ
et au début du XXᵉ siècle, non seulement a-t-il déjà
existé, mais il jouissait, dans tout le canton et même
«d'un bout à l'autre du pays[5]», d'une solide réputation
de conteur. On accourait de partout pour l'entendre et
l'écouter. Laissons encore la parole à Fréchette:

L'été, ces réunions avaient plus d'attraits
encore. À quelques arpents en aval de chez nous
[à la Pointe-Lévis], dans un enfoncement de la
falaise encadré de noyers gigantesques, dans un
site qui aurait pu faire le sujet d'un charmant
tableau, il y avait un four à chaux, dont le feu —
dans la période de la cuisson, bien entendu —
s'entretenait toute la nuit [...]. Les abords en
étaient garnis de bancs de bois; et c'était là
qu'avaient lieu les rendez-vous du canton pour
écouter le narrateur à la mode. Quand les sièges
manquaient, on avait tôt fait d'en fabriquer à
même de longs quartiers de bois destinés à
entretenir la fournaise ardente. Là, dès la
brume, on arrivait par escouades: les femmes
avec leur tricot, les hommes avec leurs pipes, les
cavaliers avec leurs *blondes* bras dessus bras
dessous, la joie au cœur et le rire aux dents.
Chacun se plaçait de son mieux pour voir et
pour entendre[6].

Le célèbre conteur était le point de mire de ces
rassemblements qui avaient lieu surtout «les soirs
d'automne et d'hiver — car Jos Violon [devenu trop
vieux] n'allait plus *en hivernement*[7]». Fréchette

évoque ces «veillées de contes» auxquelles il assistait, en compagnie de son inséparable compagnon et ami John Campbell[8], son presque frère d'adoption, et au cours desquelles il pouvait entendre son conteur favori, dont «le style pittoresque, écrit-il, nous enthousiasmait[9]». Ces rassemblements fort prisés du public avaient lieu, dans les contes, sans doute dans la vie, chez le père Jean Bilodeau, «un bon vieux de nos voisins que je vois encore assis à la porte du poêle, les coudes sur les genoux, avec le tuyau de son brise-gueule enclavé entre les trois incisives qui lui restaient[10]» (TC, p. 17), ou chez le père Jacques Jobin, «un [autre] bon vieux qui aimait la jeunesse, et qui avait voulu faire plaisir aux jeunes gens de son canton, et aux moutards du voisinage — dont je faisais partie, ajoute le littérateur — en nous invitant à venir écouter le conteur à la mode, c'est-à-dire Jos Violon» (DF, p. 47). Trois des huit contes du répertoire connu de Jos Violon, sauvés de l'oubli par Fréchette, ont été entendus chez le père Bilodeau, dont au moins deux, «Titange» et «Tom Caribou», dans l'attente de la messe de minuit:

> C'était la veille de Noël. J'étais tout jeune bambin, et, pour me consoler de ne pas aller à la messe de minuit — il y avait plus d'une lieue de chez nous à l'église, et un accident quelconque était arrivé à notre cheval dans le cours de la journée — mon père m'avait permis, bien accompagné naturellement, d'assister à une *veillée de contes*, dont Jos Violon devait faire les frais chez le père Bilodeau (TC, p. 17).

Selon son habitude, et comme pour mieux se faire goûter, le conteur se laisse prier quelque peu, mais capitule rapidement, surtout quand il est en verve, — entendons quand il a «levé le coude», — et qu'il est entouré de personnes de l'autre «sesque» (TC, p. 18), qui sont loin de le laisser indifférent:

> Dites-nous donc un conte de Noël, [père] Jos, si vous en savez, en attendant qu'on parte pour la

> messe de minuit, fit quelqu'un — une jeune fille
> qu'on appelait Phémie Boisvert, si je me rappelle
> bien (TC, p. 18).

À remarquer, dans cette dernière réplique, la
formule superfétatoire «si vous en savez», qui ne
pouvait sans doute pas manquer de piquer le conteur,
de le stimuler davantage. Pouvait-on douter de ses
talents, de sa prodigieuse mémoire?

«Titange» et «Tom Caribou» ont été racontés au
cours de cette soirée de contes chez le père Jean
Bilodeau. De même «Le Money musk», un autre
conte de Noël, qui pourrait bien avoir été raconté à la
même soirée ou à une soirée semblable, comme le
révèle le préambule:

> Nous étions encore réunis, ce soir-là, chez le
> père Jean Bilodeau, et c'était tout naturellement
> encore l'ami Jos Violon, le conteur habituel, qui
> avait la parole (p. 77).

«Le diable des Forges», Jos Violon le récite à une
autre «veillée de contes» chez le père Jacques Jobin,
«la veille de Noël 1849» (p. 47). Trois autres contes
sont racontés lors de rassemblements, à une époque
de l'année qui n'est pas précisée. Ce sont «Tipite
Vallerand», «Coq Pomerleau» et «Les lutins». Quant
à «La Hère», le dernier conte du recueil et le dernier
publié par Fréchette, peu de temps avant sa mort, Jos
Violon le livre lors d'un rassemblement, au cours de
l'été «1848, ou à peu près» (p. 103), ainsi que le précise
le narrateur, dans les premières lignes:

> Nous étions, ce soir-là, un bon nombre d'enfants
> et même des grandes personnes — des cavaliers
> avec leurs blondes pour la plupart — groupés en
> face d'un four à chaux dont la gueule projetait au
> loin ses lueurs fauves au pied d'une haute
> falaise, à quelques arpents de chez mon père
> dans un vaste encadrement d'ormes chevelus et
> de noyers géants (p. 103).

Jamais, dans ses contes, Jos Violon ne fait la moindre allusion à ses dons de conteur quand il exerçait son métier de voyageur ou de travailleur forestier, comme le père Michel, le non moins célèbre conteur des *Forestiers et voyageurs*[11] de Joseph-Charles Taché. Car, faut-il le préciser, le conteur avait un important rôle à jouer et occupait une place de choix dans la hiérarchie de la petite société qui constituait le chantier. Ne servait-il pas à divertir et à désennuyer les travailleurs isolés dans les forêts perdues du «pays de Québec», selon la belle expression de Louis Hémon?

Mais qui était donc ce conteur si populaire qu'il dérangeait tous les habitants du canton de la Pointe-Lévis, du plus jeune au plus vieux? C'était un homme d'un âge avancé à l'époque où Fréchette, encore gamin, fait sa connaissance puisqu'il «n'allait plus en *hivernement*[12]». Jos Violon, on l'a vu, est son surnom, son «subroquet», comme il le dit. Fréchette le campe ainsi au début de «Tipite Vallerand», portrait qu'il reproduira avec de légères variantes dans ses *Mémoires intimes*:

> C'était un grand individu dégingandé, qui se balançait sur les hanches en marchant, hâbleur, gouailleur, ricaneur, mais assez bonne nature au fond pour se faire pardonner ses faiblesses.
>
> Et au nombre de celles-ci — bien que le mot *faiblesse* ne soit peut-être pas parfaitement en situation — il fallait compter au premier rang une disposition, assez *forte* au contraire, à lever le coude un peu plus souvent qu'à son tour[13] (p. 1).

Jos Violon jouit d'une longue et solide expérience de la vie des «forestiers et voyageurs». Fréchette connaît les exploits de son héros «qui avait passé sa jeunesse dans les chantiers de l'Ottawa, de la Gatineau et du Saint-Maurice; et si vous vouliez avoir une belle chanson de *cage* ou une bonne histoire de cambuse, vous pouviez lui verser deux doigts de jamaïque, sans crainte d'avoir à discuter sur la qualité de la marchandise qu'il nous donnait en échange» (p. 1).

Il était passé maître dans l'art «de raconter ses aventures de voyages dans les "Pays d'en haut"» (TC, p. 17). Il a donc, comme il l'avoue lui-même, «roulé [...] durant trente belles années dans les bois, sus les cages et dans les chanquiers» et a ainsi appris à «connaître, de fil en aiguille tout c'que y a à savoir sur le compte de ces espèces d'individus-là» (L, p. 91). Point étonnant alors qu'il se plaise à raconter, dans un but didactique et dans le respect de la morale traditionnelle catholique, comme on le verra plus loin, des «histoires de chantiers dont il avait été témoin, quand il n'y avait pas joué un rôle décisif» (p. 91). Nous reviendrons également sur cette importante question. Mais auparavant, dégageons la structure des contes de Jos Violon pour montrer que lui et son ombre Fréchette sont familiers avec l'art de conter.

Jos Violon, un conteur d'expérience

Par l'entremise de Jos Violon, un conteur d'expérience à qui il délègue la parole, — la délégation de la narration est un procédé récurrent dans le conte littéraire (ou fixé à l'écrit) du XIXe siècle, ainsi que je l'ai déjà démontré[14] — Fréchette ou le narrateur premier ne fait que reproduire la simulation conventionnelle du conte oral et de l'échange verbal entre un conteur et son public. L'acte de narrer s'entoure d'une sorte de rite initiatique, que d'autres conteurs, tant québécois qu'étrangers, ont privilégié. Qu'il suffise de rappeler la formule qu'utilise Honoré Beaugrand, au début de sa «Chasse-galerie[15]», ou celle, aussi remarquable qu'amusante, du conteur Pierre-Jakez Hélias, au début du conte intitulé «Celui qui alla

chercher le printemps[16]». Comme son contemporain
Joe le cook, comme, plus tard, le célèbre conteur
breton, Jos Violon, le «vétéran des Pays d'en haut», ne
raconte jamais sans soumettre ses auditeurs à un
rituel sacré, savamment orchestré: d'abord, il
prononce une série de paroles sacramentelles, «à seule
fin, précise le narrateur premier Fréchette, d'obtenir le
silence et de provoquer l'attention de ses auditeurs»
(M, p. 78):

> Cric, crac, les enfants! Parli, parlo, parlons!...
> Pour en savoir le court et le long, passez le
> crachoir à Jos Violon! Sacatabi, sac-à-tabac! À la
> porte les ceuses qu'écouteront pas! (TC, p. 17)

Cette formule magique qui transporte les auditeurs dans un autre monde, irréel celui-là, on la
retrouve dans son entier dans au moins trois des huit
contes, soit «Tipite Vallerand», «Tom Caribou» et «Le
diable des Forges». Elle est abrégée, mais n'en
conserve pas moins son même rôle dans trois autres
contes: «Titange», «Le Money musk» et «Les lutins».

Pour obtenir l'adhésion de son auditoire, qui fait
cercle autour de lui «cette fois-là, nous serrâmes les
rangs» (TV, p. 2), affirme le narrateur premier, Jos
Violon, en conteur expérimenté, pose quelques gestes,
toujours les mêmes, qui font également partie de ce
rituel, de cette véritable cérémonie qui prépare à la
narration du conte: il s'humecte «la luette avec un
doigt de Jamaïque» (TC, p. 18), qui n'est rien d'autre
que du rhum, se «fait claquer la langue avec satisfaction et [...s'essuie] les lèvres du revers de sa manche»
(CP, p. 33), tousse «consciencieusement pour s'éclaircir le verbe» (H, p. 103), allume «sa pipe à la chandelle,
à l'aide d'une de ces longues allumettes en cèdre dont
nos pères, à la campagne, se servaient avant et même
longtemps après l'invention des allumettes chimiques» (TC, p. 18), quand il ne l'allume pas «à l'aide
d'un tison» (H, p. 103). Tous ces gestes, Jos Violon les

pose lentement, religieusement, avec une remarquable précision, comme pour se faire désirer
davantage. Ce n'est qu'après toute cette cérémonie, «à
seule fin d'obtenir le silence et de provoquer
l'attention de ses auditeurs» (M, p. 77), qu'il entame
finalement son récit.

La formule qui marque l'ouverture réelle, véritable
du récit est toujours la même, sept fois sur huit, ce qui
tend à prouver qu'elle fait, en quelque sorte, aussi
partie du rituel. Elle est la suivante:

> C'était donc pour vous dire, les enfants, que[17].

Le conte, dès lors, est lancé, tout comme Jos Violon
le volubile, qui «prend le crachoir» jusqu'à la chute du
conte, jusqu'à la formule finale, invariable elle aussi,
«Et cric, crac, cra, sacatabi, sac-à-tabac! mon histoire
finit d'en par là» (TV, p. 11, TC, p. 29...), formule qu'il
abrège, comme la formule initiale: «Et cric, crac, cra!
Exétéra» (T, p. 74).

Si parfois, il lui arrive de l'omettre complètement,
il ne manque pas, à l'occasion, de la compléter par une
autre rimette. Jugeons-en par la finale de «Tipite
Vallerand»:

> Et cric, crac, cra! sacatabi, sac-à-tabac! mon
> histoire finit d'en par là. Serrez les ris, ouvrez les
> rangs; c'est ça l'histoire à Tipite Vallerand
> (p. 11).

Tous les contes de Jos Violon sont construits de la
même façon. D'abord un premier narrateur, Fréchette
lui-même, qui utilise la 1re personne pour faire l'entrée en matière. Il précise ce que Jean-Pierre Bronckart
appelle le «lieu social», c'est-à-dire la «zone de
coopération dans laquelle se déroule (à laquelle
s'insère) l'activité langagière[18]», ce que d'autres
théoriciens appellent aussi «chronotopes»: la soirée
ou la «veillée de contes» se déroule chez tel ou tel

vieux dans l'entourage du narrateur premier Fréchette, à Pointe-Lévis. On pourrait presque dater certaines de ces soirées, si on pouvait consulter les archives de quelques compagnies forestières pour découvrir en quelle année, par exemple, il a voyagé dans tel ou tel territoire, ou d'autres archives pour savoir en quelle année il a été «compère», un 24 décembre. Parfois, la date est clairement identifiée, dès la première ligne du conte: «C'était la veille de Noël 1849» (DF, p. 47), ou encore le début de «La Hère»: «Ceci nous reporte en 1848, ou à peu près» (p. 103).

C'est, avec l'identification de l'espace, la mise en situation, l'entrée en matière, généralement courte, un peu plus longue si le narrateur premier, qui utilise lui aussi la première personne, n'ajoute pas quelques jugements sur le conteur, jugements que nous avons déjà rapportés. Ce narrateur s'efface alors complètement pour ne plus jamais réapparaître jusqu'à la conclusion du conte.

Si elles sont intéressantes, ces entrées en matière ne sont que des prétextes pour introduire le vétéran conteur, qui met alors tout en œuvre, grâce à son indéniable talent, pour accrocher son auditoire, pour le transporter dans un autre monde, ainsi que le rapporte Fréchette. D'abord, Jos Violon prend toujours soin de situer son histoire, dans l'espace et dans le temps. Un temps relativement éloigné de ses interlocuteurs et dont ils ne peuvent se souvenir parce qu'ils n'étaient pas nés ou qu'ils étaient encore trop jeunes:

> D'après c'que j'peux voir, les enfants, [...] vous avez pas connu Fifi Labranche, le jouor de violon. Vous êtes ben trop jeunes pour ça, comme de raison, puisqu'il est mort à la Pointe-aux-Trembles, l'année des Troubles (M, p. 77).

Quant au lieu de l'action, il s'agit toujours d'un lieu concret que l'on peut identifier sur une carte, que les

auditeurs connaissent pour en avoir entendu parler
mais qu'ils n'ont, pour la plupart, jamais visité. Sortes
de lieux mythiques réservés aux seuls initiés, à ceux
qui ont osé s'affranchir de la famille et de la terre
paternelle pour braver les interdits de la vie aven-
tureuse des voyageurs des Pays d'en haut. Le conteur
expérimenté n'est donc pas tenu de circonscrire, de
présenter ces vastes espaces mais combien éloignés de
la forêt canadienne, tels qu'il les a connus lui-même.
Jos Violon, on le sait, est doté d'une riche imagination,
qui peut embellir ou enlaidir un espace donné, sans
trop d'exagération toutefois pour ne pas nuire à sa
crédibilité qu'il tente d'établir, dès le départ, comme
tout bon conteur qui se respecte. Toujours, il
est question d'un chantier des vieilles régions de
l'Outaouais, de la Gatineau ou du Saint-Maurice,
régions qu'il connaît bien pour y avoir travaillé en
jouant de la grand'hache dans le bois carré en
compagnie d'autres forestiers qu'il se plaît à nommer
d'un conte à l'autre. Jugeons-en par quelques exemples:

> C'était donc pour vous dire, les enfants, que
> c't'année-là, j'étions allé faire du bois pour les
> Patton dans le haut du Saint-Maurice, — une
> rivière qui, soit dit en passant, a jamais eu une
> grosse réputation parmi les gens de chantiers
> qui veulent rester un peu craignant Dieu (TV,
> p. 2).

Ou encore:

> C'était donc pour vous dire, les enfants, que
> c't'année-là, j'avions pris un engagement pour
> aller travailler de la grand'hache, au service du
> vieux Dawson, qu'avait ouvert un chanquier à
> l'entrée de la rivière aux Rats, sus le Saint-
> Maurice, avec une bande de hurlots de Trois-
> Rivières, où c'qu'on avait mêlé tant seurement
> trois ou quatre chréquins de par en-bas (T, p. 65).

La période et l'espace précisés, le conteur peut
enfin développer son récit, en ayant toujours en tête

qu'il veut faire œuvre utile, sans négliger pour autant de divertir son auditoire.

Jos Violon, moralisateur

Dans ses récits de chantiers, Jos Violon a presque toujours le beau rôle car il ne raconte que des histoires «dont il [a] été témoin, quand il n'y [a] pas joué un rôle décisif» (L, p. 91). En intervenant directement dans la diégèse, en recourant le plus souvent à la première personne, parfois à la troisième personne, comme pour prendre ses distances vis-à-vis de l'anecdote rapportée ou vis-à-vis d'un personnage-héros qu'il réussit habilement à marginaliser par sa conduite toujours répréhensible, Fréchette, le libéral, anticlérical à l'occasion, a mis en scène dans ses contes un conteur qui, comme la majorité, sinon tous les autres conteurs du XIXe siècle québécois, est profondément morali-sateur et qui ne se gêne aucunement pour intervenir dans le déroulement de son conte pour condamner la conduite de tel ou tel héros, qu'il transforme en anti-héros pour mieux le réprimer ou le réprimander.

Toujours le conteur procède de la même façon: le héros dont il ne se laisse jamais prier pour raconter son histoire, qu'il se nomme Titange, Tom Caribou, Coq Pomerleau, Tipite Vallerand, voire Fifi Labranche, le joueur de violon, est rapidement «isolé du groupe auquel il appartient, pour mieux faire ressortir sa déviance[19]», écrit avec raison Maurice Lemire. Qu'on en juge d'ailleurs par la présentation de Tom Caribou, ce travailleur forestier mécréant qui refuse d'aller, avec ses confrères dont Jos Violon lui-même, au chantier voisin pour assister, comme tout «bon [chrétien] craignant Dieu» (M, p. 81), à la messe de minuit:

> Tous des hommes corrects, bons travailleurs, pas chicaniers, pas bâdreux, pas sacreurs — on parle pas, comme de raison, d'un petit torrieux de temps en temps pour émoustiller la conver-sation — et pas ivrognes.

> Excepté un, dame! faut ben le dire, un toffe!

> Ah! pour celui-là, par exemple, les enfants, on
> appelle pus ça ivrogne; quand il se rencontrait
> face à face avec une cruche, ou qu'il se trouvait
> le museau devant un flacon, c'était pas un
> homme, c'était un entonnoir, [...] un gosier de
> fer-blanc première qualité, [...] un rogne patente
> (TC, p. 18).

Tipite Vallerand, originaire de Trois-Rivières,
comme les autres hurlots de ce coin de pays, est «un
insécrable fini, un sacreur numéro un [...] qui
inventait les sacres» et qui «avait gagné la torquette
du diable à Bytown contre tous les meilleurs sacreurs
de Sorel» (TV, p. 2). Point étonnant que ce «renégat
avec sa face de réprouvé, crachant les blasphèmes
comme le jus de sa chique» (p. 4), dérange ses
compagnons de voyage et se mette à dos tous les
équipages des différents canots. Coq Pomerleau est lui
aussi marginalisé par son ivrognerie qui en fait un
individu «insécrable» (p. 37), un «vlimeux», un
«enfant de potence» (p. 35), «une éponge», «un dalot à
patente» (p. 38) qui se permet en plus de sacrer
comme les hurlots de Trois-Rivières sans seulement y
avoir mis les pieds. Tipite Vallerand est pendu par les
pieds et se paye «une partie de balancine, à six pieds
de terre et la tête en bas» avec, bientôt «pus un brin de
poil sur le concombre pour se friser le toupet» (p. 10),
parce qu'il s'est trop approché du feu du campement.
Coq Pomerleau est abandonné par les voyageurs parce
qu'il a mis leur vie en danger en gesticulant, ivre-
mort, dans le canot. Titange est comparé à un démon
et est considéré comme un véritable *pestiféré*, tant il a
mauvais caractère, lui qui «parlait rien que de tuer,
d'assommer, de massacrer, de vous arracher les
boyaux et de vous ronger le nez» (p. 67). Alors que
Tom Caribou subit les assauts d'une mère ourse et est
mutilé dans sa chair même, pour avoir préféré
s'adonner à son vice pendant la messe de minuit,

Titange perd l'usage d'un bras pour avoir voulu voyager en chasse-galerie. Punitions réservées à ceux qui ont défié les préceptes de la religion catholique, comme ne pas assister à la messe de minuit, avoir conclu un pacte avec le diable, avoir prononcé en vain le nom de Dieu, ou ne pas avoir respecté les préceptes moraux, comme l'interdiction de ne pas se livrer à la consommation d'alcool qui, paraît-il, rendait l'homme semblable à la bête, selon les enseignements des apôtres de la tempérance au siècle dernier. L'un, Tipite Vallerand, est devenu sacristain, «en jupon noir et en surplis blanc et tu[e] les cierges dans la chapelle des Piles, avec une espèce de petit capuchon de fer-blanc au bout d'un manche de ligne», «guéri de sacrer» (p. 11) mais pas de mentir, selon le célèbre conteur qui l'a revu quatre ans plus tard. Tom Caribou ne peut plus s'asseoir et se voit forcé «de rester à genoux» «pour pas avoir voulu s'y mettre d'un bon cœur le jour de Noël» (p. 28-29). Titange, devenu infirme après s'être infligé une sérieuse blessure à un poignet avec sa hache parce que, fou de colère, il n'a pu faire voler son canot pour courir la chasse-galerie, est obligé de mendier sa pitance, sur le perron de la chapelle des Forges du Saint-Maurice, avec un «poignet tout crochi» en tendant «la main avec des doigts encroustillés et racotillés sans comparaison comme un croxignole de Noël» (p. 74). Coq Pomerleau, qui s'est battu contre le grand Christophe Brindamour, surnommé «la Grande Tonne», «une grande gaffe de marabout de six pieds et demi» (p. 36), est revenu du Saint-Maurice «avec trois dents de cassées et un œil de moins» (p. 44). Quant à Fifi Labranche, il est incapable de jouer sur son violon un autre air que «Le *Money musk*», son instrument étant ensorcelé pour avoir fait danser les marionnettes, en plein jour de Noël, par surcroît (p. 87).

Moralisateur, Jos Violon l'est immanquablement, comme tous les autres conteurs littéraires du

XIXe siècle, Honoré Beaugrand y compris, même si, dans son conte «La chasse-galerie», les coupables du pacte avec le diable ne reçoivent aucun châtiment. Parfois la morale est explicite:

> C'était donc pour vous dire, les enfants, que si Jos Violon avait un conseil à vous donner, ça serait de vous faire aller les argots tant que vous voudrez dans le cours de la semaine, mais de jamais danser sus le dimanche ni pour or ni pour argent (DF, p. 47).

Ce conseil, Jos Violon le pédagogue, le rappelle à nouveau, la fin de son conte, comme pour être mieux entendu:

> De vot'vie et de vos jours, les enfants, dansez jamais sus le dimanche; ça été mon malheur (p. 61).

Au risque de se faire traiter de «poule mouillée» (M, p. 82), injure suprême pour un voyageur de sa trempe qui n'a pas froid aux yeux, du moins le laisse-t-il croire, Jos Violon tente vainement de convaincre Fifi Labranche, le joueur de violon, de ne pas écouter la proposition des voyageurs des Cèdres, véritables réprouvés, qui parlent au diable (p. 78), et qui, de ce fait, sont encore plus dangereux que les sacreurs de Sorel et les hurlots de Trois-Rivières, et de ne pas se «mêler de ces paraboles-là» qui ne sont que «des manigances du Malin» (p. 82). Quant à Titange, il a appris à ses dépens qu'il ne fallait jamais «mettre le bon Dieu en cache» (p. 69) mais, bien au contraire, toujours vivre dans la crainte de Dieu, comme il le fait, lui, Jos Violon, peu importe le lieu où l'on se trouve.

Car Jos Violon, qui se met toujours en scène dans ses contes, comme on l'a vu, utilise le procédé de l'opposition pour faire passer son message et atteindre ainsi le but visé. Contrairement à ses héros, le conteur d'expérience, qui se présente selon l'expression de Maurice Lemire, comme «l'étalon de la modernité[20]», est toujours resté soumis aux lois de la religion et de la morale. Au discours ordinairement valorisant de ses protagonistes il oppose un contre-discours efficace, dans le sens que l'utilise Käte Hamburger dans *Logique des genres littéraires*[21], et qui lui mérite la sympathie de ses auditeurs alors que la mauvaise conduite de ses héros est automatiquement désapprouvée.

Jos Violon n'est toutefois ni un saint ni un réprouvé. Or connaît son penchant, — sa petite *faiblesse*, — pour l'alcool. Il le reconnaît lui-même à quelques reprises. Ainsi cette confession:

> C'est vrai que je défouis pas devant une petite beluette de temps en temps pour m'éclaircir le verbe, surtout quand j'ai une histoire à conter ou ben une chanson de cage à cramper sus l'aviron; mais, parole de voyageur, vous pouvez aller demander partout où c'que j'ai roulé, et je veux que ma première menterie m'étouffe si vous rencontrez tant seurment un sifleux pour vous dire qu'on a jamais vu Jos Violon autrement que rien que ben! (CP, p. 41).

Nouvelle confession dans «Le diable des Forges»:

> La boisson, vous savez, Jos Violon est pas un homme pour cracher dedans, non; mais c'est pas à cause que c'est moi: sus le voyage comme sus le chanquier, dans le chanquier comme à la maison, on m'en voit jamais prendre plus souvent qu'à mon tour (p. 49).

Mais il n'est pas pire qu'un autre, bien au contraire. Il ne s'est jamais laissé aller, du moins il ne l'avoue jamais, à la dégradation complète, comme certains de ses héros voyageurs comme lui, qui ont une grande prédilection «à lever le coude». Il atténue ce vice:

> Tous des gens comme y faut, assez tranquilles, quoique y en eût pas un seul d'eux autres

> qu'avait les ouvertures condamnées, quand y
> s'agissait de s'emplir. Mais un petit arrosage
> d'estomac, c'pas, avant de partir pour aller
> passer six mois de lard salé pi de soupe aux pois,
> c'est ben pardonnable (DF, p. 48).

Mais ses auditeurs le connaissent et il le sait. C'est pourquoi, pour encore atténuer ce vice, il devient ironique quand il ose affirmer que lui, Jos Violon, «est toujours sobre» (CP, p. 16) et qu'il n'a pu qu'avoir été ensorcelé quand il se rend compte, avec son ami Coq Pomerleau, que «le sorcier [les] avait charriés avec le chanquier, de l'autre côté de la Gatineau» (p. 41). Et Jos Violon n'est pas un menteur. Surtout que Fréchette a déjà présenté son conteur préféré avec «une disposition assez *forte* [...] à lever le coude un peu plus souvent qu'à son tour» (TV, p. 1).

Le célèbre conteur avoue bien volontiers un autre petit défaut: il aime les belles femmes à qui il ne se gêne pas de faire de l'œil. Rappelons seulement sa soirée de danse aux Forges du Saint-Maurice avec «la boufresse [...] Célanire Sarrasin: une bouche! une taille! des joues comme des pommes fameuses, et pi avec ça croustillante, un vrai frisson... Mais, encore une fois, j'en dis pas plusse» (DF, p. 53). Jamais, cependant, le conteur — n'est-il pas en présence de *jeunesses*, — ne se permet à leur endroit quelques allusions déplacées, encore moins vulgaires, même s'il n'est pas de glace. Il en parle toujours avec respect, à mots couverts, et résiste aux tentations. Ne refuse-t-il pas les avances de cette même Célanire, préférant surveiller sa gang de voyageurs dont on lui a confié la garde? S'il accepte la proposition de Titange de courir la chasse-galerie, ce n'est pas tant pour aller danser avec les filles chez le Bom' Câlice Doucet mais par curiosité: il veut découvrir «comment c'que [s]es guerdins s'y prenaient pour faire manœuvrer c'te machine infernale. Pour dire comme de vrai, j'avais presquement envie de voir ça de mes yeux» (T, p. 71), avoue-t-il.

De plus, Jos Violon ne sacre jamais, sans avoir cependant le langage des curés:

> Je défouis pas devant un petit *torrieux* de temps en temps, c'est dans le caractère du voyageur; mais tordnom! y a toujours un boute pour envoyer toute la saintarnité chez le diable, c'pas? (TV, p. 3).

Mais il craint la colère de Dieu quand il est en présence d'un blasphémateur. Il ne peut supporter qu'on prononce en vain le nom du Créateur. Il y a des limites à ne pas franchir, même dans la vie mouvementée et périlleuse des voyageurs des Pays d'en haut. À plusieurs reprises, Jos Violon émaille son contre-discours de réflexions sur les sacreurs qui le dérangent, visiblement, lui, un honnête homme «craignant Dieu», qui n'est pas insensible aux bravades de ses héros:

> Jos Violon — vous le savez — a jamais été ben acharné pour bâdrer le bon Dieu et achaler les curés avec ses escrupules de conscience; mais vrai, là, ça me faisait frémir (TV, p. 3).

Les sacres de Tipite Vallerand lui font redresser les cheveux sur sa tête. Il s'oppose carrément à ce mauvais garnement et le menace en prenant ses auditeurs à témoin:

> Parole de voyageur, j'suis pourtant d'un naturel bonasse, vous me connaissez; eh ben, en entendant ça, ça fut plus fort que moi; j'pus pas m'empêcher de me sentir rougir les oreilles dans le crin.
>
> Je me dis: Jos Violon, si tu laisses un malfaisant comme ça débriscailler le bon Dieu et victimer les sentiments à six bons Canayens qu'ont du poil aux pattes avec un petit brin de religion dans l'équipet du coffre, t'es pas un homme à te remontrer le sifflet dans Pointe-Lévis, je t'en signe mon papier! (TV, p. 5).

Il ne peut supporter les sacreurs de la trempe de Tipite Vallerand ou de Tom Caribou qui «magane le bon Dieu» (p. 9), «la Sainte Vierge, les anges et toute la saintarnité» (TC, p. 19). Il en a des «souleurs dans le dos» (*ibid.*). Même réaction en présence de ceux qui manigancent avec le malin. Devant la décision bien arrêtée de Titange de courir la chasse-galerie, Jos Violon est scandalisé:

> Comme vous devez ben le penser, les enfants, malgré que Jos Violon soye pas un servant de messe du premier limaro, rien que d'entendre parler de choses pareilles, ça me faisait grésiller la pelure comme une couenne de lard dans la poêle (T, p. 70).

D'ailleurs au seul prononcé du mot «chasse-galerie», cette «invention de Satan» (*ibid.*), il avait été ébranlé:

> Ma grand'conscience! en entendant ça, mes amis, j'eus une souleur. Je sentis, sus vot'respèque, comme une haleine de chaleur qui m'aurait passé devant la physiolomie. Je baraudais sur mes jambes et le manche de ma grand'hache me fortillait si tellement dans les mains, que je manquis la ligne par deux fois de suite, c'qui m'était pas arrivé de l'automne (T, p. 68).

Et il a si peur de la hère qu'il n'a qu'à entendre le cri pour faire «le signe de la croix des deux mains» (p. 112). Il en frémit encore rien que d'entendre Titange qui se complaît à «défiler tout le marmitage. Une invention du démon, les enfants» (p. 69).

Jos Violon est capable de reconnaître ses torts et d'avouer ses manquements envers la religion. Il n'est ni un curé, encore moins un saint. Mais sa tolérance a des limites:

> On n'est pas des anges, dans la profession de voyageurs, vous comprenez, les enfants.

> On a beau pas invictimer les saints, épi escan-
> daliser le bon Dieu à cœur de jour, comme Tom
> Caribou, on passe pas six mois dans le bois épi
> six mois sus les cages par année sans être un
> petit brin slack sus la religion.

> Mais y a toujours des imites pour être des pas
> grand'chose, pas vrai! Malgré qu'on n'attrape
> pas des crampes aux mâchoires à ronger les
> balustres, et qu'on fasse pas la partie de brisque
> tous les soirs avec le bedeau, on aime toujours à
> se rappeler, c'pas, qu'un Canayen a d'autre chose
> que l'âme d'un chien dans la moule de sa
> bougrine, sus vot'respèque (TC, p. 21).

Maurice Lemire a encore raison d'affirmer que
«tout autre comportement que le sien [Jos Violon]
peut être jugé excessif. C'est donc à partir de ce
lieu[22]», à partir de lui, à partir de sa propre conduite,
qu'il se permet de juger les autres, parfois même
sévèrement. Jos Violon prêche d'exemple.

Tous ces personnages héros qui se conduisent mal, à
un moment ou à un autre de leur vie, en présence de Jos
Violon, perdent leur statut, leur dignité d'homme. Le
célèbre conteur n'utilise pas d'autre procédé pour ternir
l'image d'un autre héros, Tom Caribou, qu'il n'hésite
pas à qualifier d'animal sans distinction avec la mère-
ourse: «[...] les deux animaux se trouvaient presque
voisins sans s'être jamais rencontrés» (p. 27). Ils sont
complètement démunis. Par exemple, Coq Pomerleau,
contrairement aux voyageurs des Pays d'en haut, n'a ni
l'agilité ni la force qui caractérisent les bûcherons. Il est
loin d'en avoir, non plus, la stature et l'expérience car il
n'«avait jamais [...] travelé autrement qu'en berlot, ou en
petit cabarouette dans les chemins de campagne [et il
n']avait pas tout à fait le twist dans le poignet pour
l'aviron» (p. 35). Jos Violon l'a vite décelé qui le
ridiculise de belle façon et le dénigre en présence de son
auditoire:

– Comment c'qui s'appelle, le p'tit? que je dis.

– Ah! ben dame, ça, comment c'qui s'appelle? je pourrais pas dire. Son parrain y avait donné un drôle de nom qui rimait presque à rien; et comme sa mère pouvait jamais s'en rappeler, elle l'a toujours appelé P'tit Coq. Ça fait que depuis ce temps-là, les gens de par cheux nous l'appellent pas autrement que le Coq à Pomerleau, ou ben Coq Pomerleau tout court. On y connaît pas d'aut'sinature. (p. 34).

Ils perdent presque tous leur identité, tel Tom Caribou:

Son nom de chrétien était Thomas Baribeau; mais comme not'foreman qu'était un Irlandais avait toujours de la misère à baragouiner ce nom-là en anglais, je l'avions baptisé parmi nous autres du surbroquet de *Tom Caribou*.

Thomas Baribeau, Tom Caribou, ça se ressemblait, c'pas? Enfin, c'était son nom de cage (p. 19).

Titange aussi n'est guère plus favorisé:

Titange! c'est pas là, vous allez me dire, un surbroquet ben commun dans les chantiers. J'sut avec vous autres; mais enfin c'était pas de ma faute, y s'appelait comme ça.

Comment c'que ce nom-là y était venu?

Y tenait ça de sa mère... avec une paire d'oreilles, mes amis, qu'étaient pas manchottes, je vous le persuade. Deux vraies palettes d'avirons, sus vot'respèque! (p. 66).

Avec de telles oreilles, il est franchement laid, au point de surprendre même son propre père parce qu'il ressemblait à «une espèce de coquecigrue qu'avait l'air d'un petit beignet sortant de la graisse» (*ibid.*). Écoutons sa réaction:

– C'est que ça?... que fait Johnny Morissette qui manquit s'étouffer avec sa chique.

– Ça, c'est un petit ange que le bon Dieu nous a envoyé tandis que t'étais dans le bois [lui répond sa femme].

– Un petit ange! que reprend le père; et ben, vrai là, j'crairais plutôt que c'est un commencement de bonhomme pour faire peur aux oiseaux! (*Ibid.*)

Jos Violon, on le voit bien par ces quelques exemples, s'en donne à cœur joie pour contrer ses héros de la déviance et ternir leur image. Ils sont tarés physiquement. À propos de Titange, il déclare:

Quand je dis «grandi», faudrait pas vous mettre dans les ouïes, les enfants, que le jeune homme pût rien montrer en approchant du gabarit de son père. Ah! pour ça, non! Il était venu au monde avorton, et il était resté avorton. C'était un homme manqué, quoi! à l'exception des oreilles (p. 66).

Ces mêmes héros sont tarés aussi moralement puisque l'un et l'autre de ses héros cultivent au moins un vice qui cause directement leur perte: l'ivrognerie pour Tom Caribou et Coq Pomerleau, la colère et son penchant pour les jurons collent au sol Titange, alors que Tipite Vallerand, qui jure sans cesse, est victime non pas du diable, comme il le croit, mais d'un compagnon de voyage qui le ridiculise de belle façon, devant tous les autres forestiers.

Parfois, le contre-discours de Jos Violon s'adresse non plus aux individus mais à un groupe: les sacreurs de Sorel, les voyageurs du faubourg des Quat'-Bâtons, à Trois-Rivières, «de[s] païens et de[s] possédés sus tous les rapports», «trop vauriens pour aller à confesse avant de partir» (T, p. 69) pour les chantiers, à l'automne, les voyageurs des Cèdres... Voici comment Jos Violon présente ces derniers:

Les voyageurs des Cèdres, les enfants, ça sacre pas comme les ceuses de Sorel, non! Ça invictime pas le bon Dieu et tous les saints du

calendrier comme les hurlots de Trois-Rivières
non plus. Ça se chanaille pas à toutes les pagées
de clôture comme les batailleurs de Lanoraie.
Mais pour parler au diable, par exemple, y en a
pas beaucoup pour les accoter (M, p. 78).

De véritables «enfants de perdition», de «vrais
réprouvés» qui dérangent le «bon» Jos Violon et qui
servent à embellir l'image du célèbre conteur:

> Ça me peignait joliment le caractère à brousse
> poil, vous comprenez, d'être obligé de commer-
> cer avec ces espèces-là. Je suis pas un rongeux de
> balustres, Dieu merci! mais les poules noires et
> pi moi, ça fait deux, surtout quand c'est des
> poules qui chantent le coq.
>
> Ce qui fait que je gobais pas fort c'te société-là
> (M, p. 79).

Aussi les laisse-t-il «fricoter leux sacrilèges entre
eux autres» (*ibid.*) et tente-t-il de se démarquer de ces
pendards, pour, bien sûr, impressionner ses auditeurs
et augmenter auprès d'eux son prestige en s'efforçant
d'être convaincant, convaincu qu'il a, comme le curé
auquel il se réfère souvent, un rôle à jouer.

Jos Violon, pédagogue

S'il est moralisateur, Jos Violon est aussi pédagogue, comme tout bon conteur qui maîtrise bien l'art
de conter. Il poursuit donc un but didactique: il veut
enseigner le bien et réprimer le mal, faire réfléchir ses
auditeurs. Désireux de rétablir dans ses contes l'ordre
perturbé du monde, le conteur, qui n'a pourtant pas
fréquenté les grandes écoles, pose une action pédagogique qui, «comme toute action pédagogique est
objectivement une violence symbolique en tant
qu'imposition, par un pouvoir arbitraire[23]», selon la
théorie développée par Pierre Bourdieu et Jean-Pierre
Passeron, dans *La reproduction. Éléments pour une
théorie du système d'enseignement.* Le conteur tend,

comme tout enseignant, je l'ai déjà démontré, à reproduire dans son enseignement, c'est-à-dire dans son conte, par son action pédagogique, la culture de la classe à laquelle il appartient et contribue, par là, «à reproduire la structure des rapports de force dans une formation sociale où le système d'enseignement dominant tend à assurer le monopole de la violence symbolique[24]». Jos Violon, dans ses contes, défend des valeurs auxquelles il croit, propres à la classe sociale à laquelle il appartient.

Par exemple, le conteur d'expérience a été élevé dans un milieu catholique. Le Dieu qu'il imagine n'est pas ce Dieu miséricordieux de la nouvelle catéchèse mais un Dieu qui punit. Ses héros subissent d'ailleurs un châtiment pour avoir manqué à leur devoir ou pour avoir négligé un précepte religieux ou un commandement. Les images (ou métaphores) qu'il utilise sont souvent reliées à la religion ou à la morale traditionnelle du milieu auquel il appartient. À son imaginaire aussi, influencé par les traditions et coutumes des chantiers. Le gueulard, qu'il prend la peine de définir à ses auditeurs, «c'est comme qui dirait une bête qu'on n'a jamais vue ni connue, vu que ça existe pas. / Une bête, par conséquence, qu'appartient ni à la congrégation des chrétiens ni à la race des protestants. / C'est ni anglais, ni catholique, ni sauvage; mais ça vous a un gosier, par exemple, que ça hurle comme pour l'amour du bon Dieu... quoique ça vienne ben sûr du fond de l'enfer» (TV, p. 7).

Le voyageur qui a le malheur d'entendre son cri ne peut que se dire: «Mon testament est faite; salut, je t'ai vu; adieu je m'en vas» et il est condamné à mourir, et à avoir «des cierges autour de son cercueil avant la fin de l'année» (_ibid._). Quant au chrétien qui rencontre les jacks mistigris, cette «rôdeuse d'engeance», cette «sarabande de damnés», cette «bande de scélérats qu'ont pas tant seulement sus les os assez de peau tout ensemble pour faire une paire de mitaines à un quêteux», «[d]es esquelettes de tous les gabarits et de toutes les corporations», une vraie «vermine du diable», «avec des faces de revenants, des comportements d'impudiques, et des gueules puantes à vous faire passer l'envie de renifler pour vingt ans» (*ibid.*), «il est fini. En dix minutes, il est sucé, vidé, grignoté, viré en esquelette; et s'il a la chance de pas être en état de grâce, il se trouve à son tour emmorphosé en jack mistigris, et condamné à mener c'te vie de chien-là jusqu'à la fin du monde» (TV, p. 8).

Les lutins sont une autre race d'engeances. Jos Violon en a vu plusieurs et peut les présenter ainsi à son auditoire:

> [...] si c'est pas des démons, c'est encore ben moins des enfants-Jésus. Imaginez des petits bouts d'hommes de dix-huit pouces de haut, avec rien qu'un œil dans le milieu du front, le nez comme une noisette, une bouche de ouaouaron fendue jusqu'aux oreilles, des bras pi des pieds de crapauds, avec des bedaines comme des tomates et des grands chapeaux pointus qui les font r'sembler à des champignons de printemps (L, p. 92).

Les marionnettes, dans l'imaginaire du célèbre conteur, incapable de mentir, sont «des espèces de lumières malfaisantes qui se montrent dans le Nord, quand on est pour avoir du frette. Ça pétille, sus vot'respèque, comme quand on passe la main, le soir, sus le dos d'un chat. Ça s'élonge, ça se racoutille, ça s'étire et ça beuraille dans le ciel, sans comparaison comme si le diable brassait les étoiles en guise d'œufs pour se faire une omelette» (M, p. 81).

Il les connaît si bien, ces sacripans, lui, Jos Violon qu'il conteste même son curé qui «appelle ça des *horreurs de Morréal* pis y dit que ça danse pas» (*ibid.*). Foi de Jos Violon:

> [...] je sais pas si c'est des horreurs de Morréal ou ben de Trois-Rivières, mais j'en ai ben vu à

Québec étout; — et je vous dis que ça danse,
moi, Jos Violon! (*Ibid.*)

Que le curé se le tienne pour dit! Car, «[p]arole la
plus sacrée, les enfants! Jos Violon est pas un menteur,
vous savez ça» (M, p. 84). Il «sait c'qu'y dit, puisqu'il
a tout «vu, les enfants! vu de ses propres oreilles!»
(M, p. 87). La preuve encore, c'est qu'il se réfère
souvent à la parole du curé, surtout quand il emploie
un mot ou une expression qu'il n'utilise pas souvent,
ou qui semble trop compliquée pour son auditoire, ou
qu'il ne veut pas expliquer, pour une raison ou pour
une autre, dans l'économie de son récit, mais qui
ajoute à sa crédibilité de conteur. Donnons quelques
exemples: «[...] par une rancune du boss, que je
présume, comme dit M. le curé» (TV, p. 3); «[a]ussi,
comme dit M. le curé, je me fis pas attendre» (T, p. 71);
«pour lorse, comme dit M. le curé» (T, p. 73); «il
inventait la vitupération des principes, comme dit M.
le curé» (p. 19), en parlant de Tom Caribou; «[q]uoi
qu'il en soit, comme dit Monsieur le curé» (CP, p. 36);
«comme dit M. le curé, dis-moi c'que tu brocantes et
j'te dirai c'qui t'tuait» (M, p. 79)... Il est passé maître
dans l'art de modifier un mot, une expression, un
proverbe, une maxime. La messe de minuit à laquelle
il assiste au chantier voisin, en l'absence de Tom
Caribou, comme on le sait, «ne fut pas fioné[e] comme
les cérémonies de Monseigneur» (p. 23). Même les
rimettes, qu'il utilise pour répondre au Bom' Gustin
Pomerleau de la Beauce, sont teintées de religiosité.
Qu'on en juge: «Père Pomerleau, j'suis pas un gorlot,
laissez-moi le matelot, *sed libera nos a malo!*» (p. 34).

Jos Violon se révèle encore pédagogue quand il
renseigne son auditoire sur la vie des voyageurs dans
les chantiers, sur la traditionnelle montée dans les
chantiers, par exemple, qui s'accompagne souvent
d'une bonne cuite, «une brosse dans les règles» (CP,
p. 38), comme celle que Coq Pomerleau prend, à son
arrivée à Bytown, lieu de passage où le voyageur est

tenu de faire une «petite station quand [il] y fait pas
une neuvaine» (*ibid.*). Il donne encore des renseigne-
ments sur l'organisation sociale du chantier, en
respectant la hiérarchie:

> J'étions quinze dans not'chantier: le boss, le
> commis, le couque, un ligneux, le charrequier,
> deux coupeux de chemin, deux piqueurs, six
> grand'haches, épi un choreboy, autrement dit
> marmiton (TC, p. 18).

Il décrit encore, ce qui nous éclaire sur son
imaginaire, la danse des marionnettes, le phénomène
de la chasse-galerie, la hère ou la bête à grand'queue, ce
«monstre infernal» (H, p. 111) qui provoque, chez celui
qui a le malheur de la voir, une perte de mémoire
instantanée. Il présente les Forges du Saint-Maurice
comme n'étant pas «le perron de l'église» mais «le
nique du diable avec tous ses petits» (DF, p. 50), là où se
manifeste Charlot et où, aussi, en passant, les
voyageurs mettent le bon Dieu en cache. Mettre le bon
Dieu en cache, selon l'explication de Jos Violon, est
une véritable cérémonie initiatique pour les voyageurs
qui quittent le monde originel pour affronter le monde
interdit où Dieu est mis de côté:

> D'abord y [les voyageurs] se procurent une
> bouteille de rhum qu'a été remplie à mênuit, le
> jour des Morts, de la main gauche, par un homme
> la tête en bas. Ils la cachent comme y faut dans le
> canot, et rendus aux Forges, y font une estation.
> C'est là que se manigance le gros de la cérémonie.

> La chapelle des Forges a un perron de bois, c'pas;
> eh ben, quand y fait ben noir, y a un des
> vacabonds qui lève une planche pendant qu'un
> autre vide la bouteille dans le trou en disant:

> – *Gloria patri, gloria patro, gloria patrum!*

> Et l'autre répond en remettant la planche, à sa
> place:

> – *Ceuses qu'ont rien pris, en ont pas trop d'une*
> *bouteille de rhum.* (T, p. 69-70).

Pour plaire à ses auditeurs, Jos Violon privilégie, on le voit, quelques figures de style et procédés récurrents: la comparaison qui provoque souvent le rire, les jeux de mots — quelques-uns sont suaves, tel celui-là: «[...l]a rivière aux Rats; si elle est *au ras* de queuque chose, c'est toujours pas loin de l'enfer» (H, p. 105) —, la déformation de mots — Jos Violon est difficile à battre sur ce point —, l'humour, l'ironie. Il aime aussi exagérer car il n'ignore pas que l'exagération porte souvent effet. C'est ainsi, par exemple, que Tipite Vallerand sacre «comme cinq cents mille possédés» (p. 8), que Johnny LaPicotte est si picoté qu'«on voyait presque au travers» (H, p. 106), que le courant est si fort, quand le conteur navigue sur la rivière Saint-Maurice en compagnie de Coq Pomerleau que «[j]e vous mens pas, faulait plier les avirons en deux pour avancer» (p. 43). Il est si convaincu des dangers pour les voyageurs de se tenir dans les parages du Mont à l'Oiseau, que «[n]'importe queu voyageur du Saint-Maurice vous dira qu'il aimerait cent fois mieux coucher tout fin seul dans le cimiquière que de camper en gang dans les environs» (TV, p. 6) de ce mont hanté, possédé du démon, paradis des gueulards et des jack mistigris. Il obtient le même effet en refusant de prononcer un mot qu'il juge vulgaire. C'est ainsi, par exemple, qu'il nous annonce que Tom Caribou, à la suite de sa mésaventure avec la mère-ourse — il lui a échappé quelques gouttes de whisky dans les yeux —, s'est fait labourer «le fond... de sa conscience» (p. 25) ou détérioré «les bas côtés de la corporation» (p. 26) car l'ourse lui a «posé, pour parler dans les tarmes [...] la patte drette sur le rond-point» (p. 28). Conséquence: il a «l'envers du frontispice tout ensanglanté» (*ibid.*) et «ça prit trois grandes semaines pour lui radouer le fond de cale» (*ibid.*), non sans que Titoine Pelchat ait pris soin de lui coller «les cataplumes sur la..., comme disent les notaires, sur la propriété foncière» (*ibid.*). Comme son héros Johnny LaPicotte, il ne peut prononcer «la grossièreté que l'infâme [lui] envoyit en pleine face [...] La gueule sale» (H, p. 109-110). Il ne doute pas un instant que «les échos, ça pourrait ben être comme le monde ça; y en a p'tête qui sont ben élevés, et pi d'autres qui le sont pas» (p. 110). On sait aussi qu'il a la repartie facile et qu'il a des explications à tout, ou presque. De ce fait, s'il peut parler de la hère, c'est que, avoue-t-il, «c'est encore moi, Jos Violon, qu'en sais le plus long [...] parce que si je l'ai pas vue, moi, je peux au moins me vanter de l'avoir entendue» (p. 111). Non, il s'en défend bien, ce n'était pas son «émagination» (p. 110). Il y avait certes «un peu de sorcilège dans tout ça» (*ibid.*).

S'il use de tant de procédés, c'est que Jos Violon (énonciateur) n'oublie jamais ses auditeurs (destinataires) qu'on ne voit presque jamais dans les récits du conteur mais que l'on sait présent constamment même si ces interlocuteurs n'interviennent pratiquement pas pour ne pas troubler ou pour ne pas déranger le conteur, selon cette convention tacite religieusement observée dans la narration du conte. Ces auditeurs sont donc passifs, sauf en de très rares exceptions, mais ils sont essentiels pour qu'il y ait acte d'énonciation. Un bon conteur, pour être efficace, doit avoir un public. Sinon, il ne conte pas car il aurait vraiment l'impression de se parler à lui-même. Le conteur exerce son activité langagière à partir d'un lieu social, que nous avons déjà défini. En tant qu'énonciateur, précise Bronckart, il agit comme «l'instance sociale d'où émanent les conduites verbales[25]»; il s'adresse à un ou des destinataires, cibles de l'activité langagière, qui prend la place du public, produit, comme pour l'énonciateur, d'une représentation sociale. Le statut du conteur est différent de celui de l'interlocuteur. Dans ses contes, Jos Violon s'adresse à des auditeurs potentiels. Le conteur poursuit un but et ce but, moralisateur, didactique aussi, on l'a vu, «représente l'effet spécifique que l'activité langagière est censée produire sur le destinataire», ce qui se traduit en définitive, par un «projet de modification du destinataire dans une direction donnée[26]». Ces destinataires, n'existent toutefois pas en chair et en os, comme lors d'une véritable soirée de contes, car les contes de Jos Violon ne sont plus des contes oraux mais ont été transcrits à l'écrit par un certain Louis Fréchette. Mais «ça, dirait le célèbre conteur, c'est une tout autre histoire», qui méritait un long développement

Il faut encore remarquer que, dans les chroniques qu'il a consacrées à la langue, Fréchette défend une seule position: l'importance, en terre d'Amérique, de la langue française et du français correct, c'est-à-dire «du vrai français, du français de France» afin d'être compris partout, particulièrement en France. Pourtant, ce même Fréchette, ardent défenseur de l'utilisation d'une langue standard, n'hésite pas à recourir à un langage populaire quand, dans ses contes, il cède la parole à Jos Violon. Voilà qui peut sembler sinon contradictoire, du moins paradoxal. De fait, si Fréchette se permet toutes les licences quand Jos Violon parle, c'est qu'il veut faire vrai, faire réaliste: Fréchette, qui a fréquenté son conteur, connaît la société de référence où Jos Violon a œuvré. Il sait que les termes anglais sont fréquemment utilisés dans les chantiers que dirigent souvent des contremaîtres anglophones. Il sait aussi qu'il doit, par souci de réalisme encore, faire parler son conteur comme il parlait dans la société de référence. Par la voix de Jos Violon, Fréchette ne fait pas l'apologie du parler populaire, mais cherche à reconstituer l'esprit d'autrefois et celui du groupe social auquel il appartient. Préoccupé de couleur locale, Fréchette prend toutefois ses distances à l'égard du parler populaire en mettant entre parenthèses (ou en italique, selon les techniques de l'imprimerie) mots, expressions, déformations de mots, termes anglais qui ponctuent le vocabulaire de son célèbre conteur.

Au terme de cette analyse, il convient de souligner la qualité des contes de Jos Violon, sans aucun doute les meilleures réussites formelles du genre, au XIXe siècle québécois et même, peut-être, au XXe siècle. Il resterait encore quelques points à préciser. J'ai peu parlé de la langue de Jos Violon, une langue exceptionnelle, comme on peut s'en rendre compte à partir des citations insérées dans mon texte. Je voulais permettre aux francophones de partout de goûter à la saveur de cette vieille langue française qui n'est ni de l'argot, ni du patois, encore moins du joual, comme voudrait le faire croire Victor-Lévy Beaulieu. Quel plaisir de côtoyer un conteur de la trempe de Jos Violon!

> Et cric, crac, cra! sacatabi, sac-à-tabac! mon histoire finit d'en par là.

Aurélien Boivin
Département des littératures
Université Laval (Québec)

Avertissement

Louis Fréchette, qui rêvait de vivre de sa plume, a monnayé ses contes qu'il a publiés dans plusieurs périodiques, en y apportant des variantes. Pour l'édition des *Contes de Jos Violon*, nous avons choisi, d'une part, de présenter la dernière édition publiée du vivant de l'auteur. Nous fournissons les références bibliographiques à la fin de chaque conte. D'autre part, nous avons dû uniformiser certaines expressions d'un conte à l'autre, telle celle-ci: «Pays d'en haut» écrite «pays-d'en-haut», «pays d'En-Haut», etc.

Notes

1 *Les fleurs boréales. Les Oiseaux de neige. Poésies canadiennes* couronnées par l'Académie française, Paris, E. Rouveyre, éditeur, [et] Em. Terquem, 1881, 267 p. [Le recueil avait d'abord paru à Québec, C. Darveau, imprimeur, 1879, 268 p.]. C'est Prosper Blanchemain qui avait incité le poète canadien à se présenter au concours de l'Académie française de 1880. On consultera l'étude de David M. Hayne consacrée au recueil primé dans le *Dictionnaire des œuvres littéraires du Québec*, sous la direction de Maurice Lemire, t. I: *Des origines à 1900*, Montréal, Fides, 1978, p. 266-268. William Chapman, sans doute jaloux du succès de son «ami» Fréchette et de la gloire que son rival retirait de son couronnement, publia, d'abord dans *Le Bon Combat*, de l'abbé Frédéric-Alexandre Baillairgé du Collège de Joliette, une série de critiques sur les œuvres de son rival, qu'il réunira en recueil sous le titre *Le lauréat*, en 1894. Voir l'article de Guy Champagne dans le *DOLQ*, t. I, p. 439-440.

2 Louis Fréchette, *Contes de Jos Violon*. Présenté par Victor-Lévy Beaulieu, notes de Jacques Roy, Montréal, L'Aurore, 1974, 143 p. (Collection «le Goglu»). Ill. de Henri Julien. Ces contes avaient paru dans les périodiques auparavant, à l'exception de «Titange». «Tom Caribou» et «Titange» figurent dans *La Noël au Canada*, Toronto, George N. Morang & Company Limited, 1900, XIX, 288 p.

3 Louis Fréchette, *Mémoires intimes*. Texte établi et annoté par George A. Klinck, préface de Michel Dassonville, Montréal et Paris, Fides, 1961, 200 p. (Collection du Nénuphar]. [V. p. 52].

4 On consultera notre ouvrage, *Le conte littéraire québécois au XIXᵉ siècle. Essai de bibliographie critique et analytique*. Préface de Maurice Lemire, Montréal, Fides, 1975, XXXVIII, 385 p. [V. p. 162-193].

5 *Mémoires intimes*, p. 177, notes et variantes.

6 *Ibid.*, p. 53.

7 *Loc. cit.*

8 *Loc. cit.* Voici ce texte: «Je dis nous, car, comme on le pense bien, il n'était pas question pour moi d'assister à ces réunions sans être bien dûment chaperonné. Ces fonctions importantes incombaient généralement à ce frère d'adoption [...], c'est-à-dire à John Campbell qui était connu dans tout le canton sous le nom de Johnny Camel, et qui par une heureuse coïncidence aimait les histoires presque autant que moi».

9 *Loc. cit.*

10 La pagination entre parenthèses dans le texte renvoie à la pagination de ce recueil. Nous ajouterons les initiales du conte, quand le titre n'est pas précisé: TC. (Tom Caribou), TV. (Tipite Vallerand), CP. (Coq Pomerleau), DF (Le diable des Forges), M (Le Money musk), L (Les lutins), T (Titange) et H (La Hère).

11 Joseph-Charles Taché, *Forestiers et voyageurs*, *Les Soirées canadiennes*, vol. III (1863), p. [13]-260. [Publié en volume en 1884, réédité plusieurs fois: dernière publication: préface de Maurice Lemire, Montréal, Fides, 1980, 202 p. (Bibliothèque québécoise)].

12 *Mémoires intimes*, *op. cit.*, p. 53.

13 Le texte avec variantes figure dans *Mémoires intimes*, *op. cit.*, p. 52.

14 Aurélien Boivin, «La littérarisation du conte québécois: structure narrative et fonction moralisante», *Le conte*. Textes recueillis par Pierre Léon et Paul Perron, Montréal, Didier, 1987, p 103-118.

15 Honoré Beaugrand, *La chasse-galerie*. [Préface de François Ricard], chronologie et bibliographie d'Aurélien Boivin, Montréal, BQ, 1991, 107 p. («Bibliothèque québécoise»). François Ricard en a préparé une édition critique: *La chasse-galerie et autres récits*, Montréal, Les Presses de l'Université de Montréal, 1989, 362 p. («Bibliothèque du Nouveau Monde»). Voici cette formule: «Pour lors que je vais vous raconter une rôdeuse d'histoire, dans la fin fil; mais s'il y a parmi vous autres des lurons qui auraient envie de courir la chasse-galerie ou le loup-garou, je vous avertis qu'ils font mieux d'aller voir dehors si les chats-huants font le sabbat, car je vais commencer mon histoire en faisant un grand signe de croix pour chasser le diable et ses diablotins. J'en ai assez eu de ces maudits-là dans mon jeune temps.» (p. 21.)

16 Pierre-Jakez Hélias, *Les autres et les miens*, vol. 2: *Contes à vivre debout*, Paris, Plon, 1977, p. 129-142. Voici cette longue formule: «Autrefois était autrefois, et aujourd'hui, c'est un autre temps. Dans mon verger, j'ai un arbre de pommes qui nourrit des fruits plus tendres que le pain. Mais, pour goûter le pain de ces pommes, il faut dormir au pied de l'arbre avec deux sous de sagesse dans le poing fermé, un grand sac vide sous la tête pour amasser tout ce qui tombe. Moi, mes amis, ma récolte est faite et mon sac tout plein de merveilles que je partage à qui les veut. Écoutez bien:

Le dos de l'âne est pour le bât
Qui sur le chien ne tiendrait pas.
C'est un conte extraordinaire,
Cent fois plus vieux que père et mère,

Mais il faut seller votre chien
Si vous voulez comprendre bien.
Écoutez et vous entendrez la légende merveilleuse de «Celui
qui alla chercher le printemps». Les sourds des deux tympans
porteront la nouvelle aux absents et les aveugles des deux yeux
feront voir aux doubles boiteux l'endroit où s'est passé le jeu
(p. 129-130).

17 *Cf.* p. 14, 25, 37, 51, 81, 101, 115. Cette formule n'apparaît pas
dans «Le Money musk».

18 Jean-Paul Bronckart, avec la collaboration de D. Blair, B.
Schneuwly, C. Davaud et A. Pasquier, *Le fonctionnement des
discours. Un modèle psychologique et une méthode d'analyse*,
Neuchâtel et Paris, Delachaux & Nestlé, éditeurs, 1985, p. 31.

19 Maurice Lemire, «Le discours répressif dans le conte littéraire
québécois au XIXᵉ siècle», Biblioteca Della Ricerca, Cultura
Straniera, nᵒ 11, Atti del 6ᵉ Convegno internazionale di studi
canadesi, Selva di Fasano, 27-31 marzo 1985, Schena Editore,
1985, p. 105-131. [V. p. 120].

20 Maurice Lemire, *op. cit.*, p. 120.

21 Käte Hamburger, *Logique des genres littéraires*. Traduit de
l'allemand par Pierre Cadiot, préface de Gérard Genette, Paris,
Éditions du Seuil, 1986, 312 p. (Collection «Poétique»). [V.
p. 157]

22 Maurice Lemire, *op. cit.*, p. 120.

23 Pierre Bourdieu et Jean-Claude Passeron, *La reproduction. Éléments pour une théorie du système d'enseignement*, Paris, les
Éditions de Minuit, 1970, p. 19.

24 *Ibid.*, p. 20.

25 Jean-Paul Bronckart, *op. cit.*, p. 32.

26 *Loc. cit.*

TIPITE VALLERAND

Le narrateur de la présente signait Joseph Lemieux; il était connu sous le nom de José Caron; et tout le monde l'appelait Jos Violon.

Pourquoi ces trois appellations? Pourquoi Violon? Vous m'en demandez trop.

C'était un grand individu dégingandé, qui se balançait sur les hanches en marchant, hâbleur, gouailleur, ricaneur, mais assez bonne nature au fond pour se faire pardonner ses faiblesses.

Et au nombre de celles-ci — bien que le mot *faiblesse* ne soit peut-être pas parfaitement en situation — il fallait compter au premier rang une disposition, assez *forte* au contraire, à lever le coude un peu plus souvent qu'à son tour.

Il avait passé sa jeunesse dans les chantiers de l'Ottawa, de la Gatineau et du Saint-Maurice[1]; et si vous vouliez avoir une belle chanson de *cage*[2] ou une bonne histoire de cambuse, vous pouviez lui verser deux doigts de jamaïque[3], sans crainte d'avoir à discuter sur la qualité de la marchandise qu'il vous donnait en échange.

Il me revient à la mémoire une de ses histoires, que je veux essayer de vous redire en conservant, autant que possible, la couleur caractéristique et pittoresque que Jos Violon savait donner à ses narrations.

---

1. Pour les notes de bas de page, voir à la fin de chaque conte.

Le conteur débutait généralement comme ceci:

— Cric, crac, les enfants! parli, parlo, parlons! pour en savoir le court et le long, passez le crachoir à Jos Violon! sacatabi sac-à-tabac, à la porte les ceuses qu'écouteront pas!

Cette fois-là, nous serrâmes les rangs, et Jos Violon entama son récit en ces termes:

— C'était donc pour vous dire, les enfants, que c't'année-là, j'étions allés faire du bois pour les Patton dans le haut du Saint-Maurice, — une rivière qui, soit dit en passant, a jamais eu une grosse réputation parmi les gens de chantiers qui veulent rester un peu craignant Dieu.

C'est pas des cantiques, mes amis, qu'on entend là tous les soirs!

Aussi les ceuses qui parmi vous autres auraient envie de faire connaissance avec le diable peuvent jamais faire un meilleur voyage que celui du Saint-Maurice, pour avoir une chance de rencontrer le jeune homme à quèque détour. C'est Jos Violon qui vous dit ça!

J'avions dans not' gang un nommé Tipite Vallerand, de Trois-Rivières[4]; un insécrable fini, un sacreur numéro un.

Trois-Rivières, je vous dis que c'est ça la ville pour les sacres! Pour dire comment on dit, ça se bat point.

Tipite Vallerand, lui, les inventait les sacres.

Trois années de suite, il avait gagné la torquette du diable à Bytown[5] contre tous les meilleurs sacreurs de Sorel[6].

Comme sacreur, il était plusse que dépareillé, c'était un homme hors du commun. Les cheveux en redressaient rien qu'à l'entendre.

Avec ça, toujours à moitié plein[7], ça va sans dire.

J'étions cinq canots en route pour la rivière aux Rats[8], oùs' qu'on devait faire chantier pour l'hiver.

Comme il connaissait le Saint-Maurice dans le fin fond, Tipite Vallerand avait été chargé par le boss[9] de gouverner[10] un des canots — qu'était le mien.

J'aurais joliment préféré un autre pilote[11], vous comprenez; mais dans ces voyages-là, si vous suivez jamais la vocation, les enfants, vous voirez qu'on fait ce qu'on peut, et non pas ce qu'on veut.

On nageait[12] fort toute la journée: le courant était dur en diable; et le soir, ben fatigués, on campait sur la grève — oùs' qu'on pouvait.

Et puis, y avait ce qui s'appelle les portages[13] — une autre histoire qu'a pas été inventée pour agrémenter la route et mettre les camarades de bonne humeur, je vous le persuade.

J'avions passé les rapides de la Manigance et de la Cuisse[14] au milieu d'une tempête de sacres.

Jos Violon — vous le savez — a jamais été ben acharné pour bâdrer le bon Dieu et achaler les curés avec ses escrupules de conscience; mais vrai, là, ça me faisait frémir.

Je défouis pas devant un petit *torrieux*[15] de temps en temps, c'est dans le caractère du voyageur; mais, tordnom[16]! y a toujours un boute pour envoyer toute la saintarnité chez le diable, c'pas?

Par malheur, notre canot était plus gros, plus pesant et plus chargé que les autres; et — par une rancune du boss, que je présume, comme dit M. le curé — on nous avait donné deux nageurs[17] de moins.

Comme de raison, les autres canots avaient pris les devants, et le nôtre s'était trouvé dégradé dès le premier rapide.

Ça fait que Tipite Vallerand ayant plus d'ordres à recevoir de personne, nous en donnait sus les quat' faces, et faisait son petit Jean Lévesque[18] en veux-tu en vlà, comme s'il avait été le bourgeois de tous les chantiers, depuis les chenaux[19] jusqu'à la hauteur des terres.

Fallait y voir sortir ça de la margoulette[20], les enfants; c'est tout ce que j'ai à vous dire!

À chaque sacre, ma foi de gueux! je m'attendais à voir le ciel se crever sus notre tête pour nous acrapoutir[21], ou la rivière s'ouvrir sour le canot pour nous abîmer tous au fond des enfers, avec chacun un gripette[22] pendu à la crignasse[23].

Il me semble voir encore le renégat avec sa face de réprouvé, crachant les blasphèmes comme le jus de sa chique, la tuque sus l'oreille, sa grande chevelure sus les épaules, la chemise rouge ouverte sus l'estomac, les manches retroussées jusqu'aux coudes, et le poing passé dans la ceinture fléchée.

Un des jurons les plus dans son élément, c'était: *Je veux que le diable m'enlève tout vivant par les pieds!* C'était là, comme on dit, son patois.

J'avais pour voisin de tôte un nommé Tanfan Jeannotte, de Sainte-Anne-la-Parade[24], qui pouvait pas voir sourdre c't'histoire-là, lui, sans grogner. Je l'entendais qui marmottait:

— Il t'enlèvera ben sûr à quèque détour, mon maudit! et c'est pas moi qui fera dire des messes pour ta chienne de carcasse!

J'avions passé la rivière au Caribou[25], une petite machine de rivière grosse comme rien; mais une boufresse qui se métine[26] un peu croche le printemps, je vous le persuade, les enfants!

Jos Violon en sait quèque chose pour avoir passé trois jours et trois nuits, à cheval sur un billot, en pleine jam[27], là ous que tous les saints du paradis y auraient pas porté secours.

Ça fait rien! j'en suis revenu comme vous voyez, avec les erminettes[28] aussi solides que n'importe qui pour la drave, et toujours le blanc d'Espagne[29] dans le poignet pour la grand'hache, Dieu merci!

Enfin, on arrivait à la Bête-Puante — une rivière qu'est pas commode, non plus, à ce qu'on dit — et, comme le soir approchait, les hommes commencèrent à parler de camper.

— Camper à la Bête-Puante! allez-vous faire sacres! dit Tipite Vallerand. Je veux que le diable m'enlève tout vivant par les pieds si on campe à la Bête-Puante!

— Mais pourtant, que dit Tanfan Jeannotte, il est ben trop tard pour rejoindre les autres canots; où donc qu'on va camper?

— Toi, tu peux te fermer! beugla Tipite Vallerand, avec un autre sacre qui me fit regricher[30] les cheveux sur la tête; si y en a un parmi vous autres qui retrousse le nez pour se rébicheter[31], je sais ben ous' que je vous ferai camper, par exemple, mes calvaires. C'est tout ce que j'ai à vous dire!

Parole de voyageur, j'suis pourtant d'un naturel bonasse, vous me connaissez; eh ben, en entendant ça, ça fut plus fort que moi; j'pus pas m'empêcher de me sentir rougir les oreilles dans le crin.

Je me dis: Jos Violon, si tu laisses un malfaisant comme ça débriscailler[32] le bon Dieu et victimer[33] les sentiments à six bons Canayens qu'ont du poil aux pattes avec un petit brin de religion dans l'équipet du coffre, t'es pas un homme à te remontrer le sifflet dans Pointe-Lévis, je t'en signe mon papier!

— Tipite, que je dis, écoute, mon garçon! C'est pas une conduite, ça. Y a des imites[34] pour massacrer le monde. Tu vas nous dire tout de suite ous' qu'on va camper, ou ben j'fourre mon aviron dans le fond du canot.

— Moi étout[35]! dit Tanfan Jeannotte.

— Moi étout! moi étout! crièrent tous les autres.

— Ah! oui-dà oui!… Ah! c'est comme ça!… Eh ben, j'vas vous le dire, en effette, ous' que j'allons camper, mes crimes! fit Tipite Vallerand avec un autre sacre à faire trembler tout un chantier. On va camper au mont à l'Oiseau, entendez-vous? Et si y en a un qui fourre son aviron dans le fond du canot, ou qui fourre son nez ous' qu'il a pas d'affaire, moi je lui fourre un coup de fusil entre les deux yeux! Ça vous va-t-y?

Et tout le monde entendit claquer le chien d'un fusil que le marabout venait d'aveindre[36] d'un sac de toile qu'il avait sous les pieds.

Comme on savait le pendard capable de détruire père et mère, chacun fit le mort.

Avec ça que le nom du mont à l'Oiseau[37], les enfants, était ben suffisant pour nous calmer, tout ce que j'en étions, que la moitié en était de trop.

À la pensée d'aller camper là, une souleur[38] nous avait passé dans le dos, et je nous étions remis à nager sans souffler motte[39].

Seulement, je m'aperçus que Tanfan Jeannotte mangeait son ronge[40], et qu'il avait l'air de ruminer quèque manigance qu'annonçait rien de bon pour Tipite Vallerand.

Faut vous dire que le mont à l'Oiseau, c'est pas une place ordinaire.

N'importe queu voyageur du Saint-Maurice vous dira qu'il aimerait cent fois mieux coucher tout fin seul dans le cimiquière[41], que de camper en gang dans les environs du mont à l'Oiseau.

Imaginez-vous une véreuse[42] de montagne de mille pieds de haut, tranchée à pic comme avec un rasois[43], et qui ferait semblant de se poster en plein travers du chenail pour barrer le passage aux chrétiens qui veulent monter plus haut.

Le pied du cap timbe dret dans l'eau, comme qui dirait à l'équerre; avec par-ci par-là des petites anses là ous' que, dans le besoin, y aurait toujours moyen de camper comme ci comme ça, à l'abri des roches; mais je t'en fiche, mes mignons! Allez-y voir! Les anses du mont à l'Oiseau, ça s'appelle "touches-y pas". Ceuses qu'ont campé là y ont pas campé deux fois, je vous le garantis.

D'abord, ces trous noirs-là, pour dire comme on dit, c'est pas beau tout de suite.

Quand vous avez dret au-dessus de vot' campe, c'te grande bringue[44] de montagne du démon qui fait la frime[45] de se pencher en avant pour vous reluquer[46] le Canayen avec des airs de rien de bon, je vous dis qu'on n'a pas envie de se mettre à planter le chêne pour faire des pieds de nez!

C'est pas une place ous' que je conseillerais aux cavaliers d'aller faire de la broche avec leux blondes au clair de la lune.

Mais c'est pas toute. La vlimeuse de montagne en fait ben d'autres, vous allez voir.

D'abord elle est habitée par un *gueulard*.

Un gueulard, c'est comme qui dirait une bête qu'on n'a jamais ni vue ni connue, vu que ça existe pas.

Une bête, par conséquence, qu'appartient ni à la congrégation des chrétiens ni à la race des protestants.

C'est ni anglais, ni catholique, ni sauvage; mais ça vous a un gosier, par exemple, que ça hurle comme pour l'amour du bon Dieu... quoique ça vienne ben sûr du fond de l'enfer.

Quand un voyageur a entendu le gueulard, il peut dire: "Mon testament est faite; salut, je t'ai vu; adieu, je m'en vas." Y a des cierges autour de son cercueil avant la fin de l'année, c'est tout ce que j'ai à vous dire!

Et puis, y a ce qu'on appelle la danse des jacks mistigris.

Vous savez pas ce que c'est que les jacks mistigris, vous autres, comme de raison. Eh ben, j'vas vous dégoiser[47] ça dans le fin fil.

Vous allez voir si c'est une rôdeuse d'engeance que ces jacks mistigris. Ça prend Jos Violon pour connaître ces poissons-là.

Figurez-vous une bande de scélérats qu'ont pas tant seulement sus les os assez de peau tout ensemble pour faire une paire de mitaines à un quêteux.

Des esquelettes de tous les gabarits et de toutes les corporations: des petits, des grands, des minces, des ventrus, des élingués, des tortus-bossus, des biscornus, des membres de chrétien avec des corps de serpent, des têtes de bœufs sus des cuisses de grenouilles, des individus sans cou, d'autres sans jambes, d'autres sans bras, les uns plantés dret debout sur un ergot, les autres se traînant à six pattes comme des araignées, — enfin une vermine du diable.

Tout ça avec des faces de revenants, des comportements d'impudiques, et des gueules puantes à vous faire passer l'envie de renifler pour vingt ans.

Sur les minuit, le gueulard pousse son hurlement; et alors faut voir ressourdre c'te pacotille infernale, en dansant, en sautant, en se roulant, ruant, gigotant, se faisant craquer les jointures et cliqueter les osselets dans des contorsions épouvantables, et se bousculant pêle-mêle comme une fricassée de mardi-gras.

Une sarabande de damnés, quoi!

C'est ça, la danse des jacks mistigris.

Si y a un chrétien dans les environs, il est fini. En dix minutes, il est sucé, vidé, grignoté, viré en esquelette; et s'il a la chance de pas être en état de grâce, il se trouve à son tour emmorphosé⁴⁸ en jack mistigris, et condamné à mener c'te vie de chien-là jusqu'à la fin du monde.

Je vous demande, à c'te heure, si c'était réjouissant pour nous autres d'aller camper au milieu de c'te nation d'animaux-là!

On y fut, pourtant.

Disons, pour piquer au plus court, que nous v'là arrivés, la pince du canot dans le sable et les camarades dans les cailloux, avec les ustensiles de couquerie⁴⁹ sus le dos.

Pas moyen de moyenner: Tipite Vallerand était là avec son fusil, qui watchait⁵⁰ la manœuvre et qui sacrait toujours le bon Dieu et tous les saints du calendrier comme cinq cent mille possédés.

Fallait ben obéir; et comme j'avions tous une faim de chien, un bon feu de bois sec fut vite allumé, et la marmite se mit à mijoter sa petite chanson comme dans les bonnes années.

Naturellement, j'avions pas pris le temps d'installer une cambuse dans le principe, comme dit M. le curé.

Y avait là une grosse talle de bouleaux, et j'en avions crochi un gros pied ben solide, qu'on avait amarré, en le bandant avec la bosse du canot, comme on fait pour les pièges à loups.

C'est comme ça qu'on pend la crémaillère, dans le voyage, quand on a une chance et qu'on est pressé.

Pas la peine de vous raconter le souper, c'pas?

Je vous promets que la peur du gueulard et des jacks mistigris nous empêcha pas de nous licher[51] les babines et de nous ravitailler les intérieurs.

Ces documents-là, ça peut couper l'appétit aux gens qu'ont leux trois bons repas par jour; mais pas quand il est sept heures du soir, et qu'on a nagé contre le courant comme des malcenaires[52] depuis six heures du matin, avec tant seulement pas le temps d'allumer, et sans autre désennui que des sacres pour accorder sus l'aviron!

Seulement, après le souper, on avait le visage d'une longueur respectable; et j'avions pas besoin de dire à personne de fermer sa boîte, je vous le garantis.

On se regardait tous sans rien dire, excepté, comme de raison, Tipite Vallerand, qui lâchait de temps en temps sa bordée de sacres, que c'était comme une rente.

Personne grouillait; et c'est à peine si on osait tirer une touche, quand Fanfan Jeannotte — le sournois! se mit à rôder, à rôder, comme s'il avait jonglé quèque plan de nègre.

À chaque instant, il nous passait sur les pieds, s'accrochait dans nos jambes étendues devant le feu; enfin, vlà la chicane prise entre lui et Tipite Vallerand.

Comme de raison, une nouvelle bourrasque de blasphèmes.

Moi, ça me crispait.

— C'est pas pire qu'un mal de ventre, que je dis, de voir un chrétien maganer le bon Dieu de c'te façon-là!

— Le bon Dieu? que reprend le chéti en ricanant, il peut se fouiller. Y en a pas de bon Dieu par icitte!

Et renotant son jurement d'habitude, qu'était viré en vraies zitanies[53] de conversation:

— Si y a un bon Dieu par icitte, qu'il dit, je veux que le diable m'enlève tout vivant par les pieds!

Bon sang de mon âme! Jos Violon est pas un menteur; eh ben, croyez-moi ou croyez-moi pas,

Tipite Vallerand avait pas lâché le dernier motte, qu'il sautait comme un crapaud les quat' fers en l'air, en poussant un cri de mort capable de mettre en fuite tous les jacks mistigris et tous les gueulards du Saint-Maurice à la fois.

Il se trouvait tout simplement pendu par les pieds, au bout de not' bouleau, qu'avait lâché son amarre; et l'indigne se payait une partie de balancine[54], à six pieds de terre et la tête en bas, sa longue crignasse échevelée faisant qu'un rond, et fouettant le vent comme la queue d'un cheval piqué par une nuée de maringouins[55].

Tout à coup, fifre! la tête de mon sacreur venait de passer tout près de nos tisons, et... ft... ft... ft... vlà-t-y pas le feu dans le balai!

Une vraie flambée d'étoupe, les enfants!

Ça devenait terrible, c'pas?

Moi, je saute sus ma hache, je frappe sus l'âbre, et crac! vlà mon Tipite Vallerand le dos dans les ferdoches[56], sans connaissance, avec pus un brin de poil sur le concombre pour se friser le toupet.

Pas besoin de vous dire que, cinq minutes après, toute la gang était dans le canot, et, quoique ben fatiguée, nageant à tour de bras pour s'éloigner de c'te montagne de malheur, ous' que personne passe depuis ce temps-là sans raconter l'aventure de Tipite Vallerand.

Quant à lui, le boufre[57], il fut quinze jours ben malade, et pas capable d'ouvrir les yeux sans voir Charlot-le-diable lui tâter les pieds avec un nœud coulant à la main.

Comme de raison, tout le chantier croyait trouver là-dedans une punition du bon Dieu, un miracle.

Mais moi qu'avais watché Tanfan Jeannotte, je l'avais trop vu nous piler sus les pieds, se faufiler dans nos jambes et tripoter la chaîne de la marmite, pour pas me douter que, dans l'affaire du bouleau, pouvait ben y avoir une punition du bon Dieu, mais en même temps une petite twist[58] de camarade.

C'est mon opinion.

Quoi qu'il en soit, comme dit M. le curé, ce fut fini fret pour les sacres.

Tipite Vallerand passa l'hiver dans le chantier, sans lâcher tant seulement un "ma foi de gueux".

Il suffisait de dire: *diable emporte!* pour le faire virer sur les talons comme une toupie.

J'ai revu le garnement quatre ans après; il était en jupon noir et en surplis blanc, et tuait les cierges dans la chapelle des Piles[59], avec une espèce de petit capuchon de fer-blanc au bout d'un manche de ligne.

— Tipite! que je lui dis.

— De quoi! qu'y me répond.

— Tu reconnais pas Jos Violon?

— Non!... qu'il me dit tout sec en me regardant de travers, et en prenant une shire[60], comme si j'y avais mis une allumette à la jupe.

Ce qui prouve que s'il s'était guéri de sacrer, il s'était pas guéri de mentir.

Et cric, crac, cra! sacatabi, sac-à-tabac! mon histoire finit d'en par là. Serrez les ris, ouvrez les rangs; c'est ça l'histoire à Tipite Vallerand!

Édouard-Zotique Massicotte [compilateur]. *Conteurs canadiens-français du XIXe siècle*, Montréal, C. O. Beauchemin & fils, 1902, p. 149-161.

NOTES

1 La rivière de l'Ottawa ou Outaouais. Principal affluent du Saint-Laurent qui «prend sa source dans le plateau laurentien, forme le grand lac Témiscamingue, prend une direction sud-est et se jette dans le fleuve, près de Montréal, après avoir fourni une course de plus de 700 milles. La superficie de son bassin est de 56 000 milles carrés. Plusieurs rapides et chutes interrompent la navigation» dont la chute Chaudière, la chute des Chats et le Long Saut. Ses principaux tributaires sont les rivières Noire, du Nord, Petite-Nation, du Lièvre, Gatineau, Coulonge et Dumoine. Au sujet de son nom, dérivé du nom d'origine *Outaoua*, Benjamin Sulte écrit: «Ceux qui ont inventé l'orthographe *Outaouais* ne se sont pas donné la peine d'étudier les auteurs du dix-septième siècle, familiers avec la nation des Outaouas et les peuples qui l'entouraient» (Benjamin Sulte, *Bulletin des recherches historiques*, vol. IV, p. 187). Sur cette rivière, voir Pierre-Georges Roy, *Les noms géographiques de la Province de Québec*, Lévis, [s. é.], 1906, p. 295-297; Eugène Rouillard, *Dictionnaire des rivières et des lacs de la Province de Québec*, p. 124-125, et *Noms et lieux du Québec. Dictionnaire illustré*, p. 508-509.

La rivière Gatineau, longue de 443 km, «prend sa source dans le secteur du lac du Pain de Sucre, à environ 5 km du nord-est du lac Échouant et au sud du lac Radisson. Elle coule généralement vers le sud, traverse le réservoir Baskatong et termine sa course dans la rivière des Outaouais, entre Hull et Gatineau, en face d'Ottawa» (*Noms et lieux du Québec. Dictionnaire illustré*, p. 236).

La rivière Saint-Maurice est l'un des plus prestigieux affluents du fleuve Saint-Laurent, après les rivières Outaouais et Saguenay. Cet important cours d'eau, qui a joué un rôle important dans l'industrie du bois, est d'une superficie de 42 735 km^2. Il «touche, au nord, au bassin hydraulique du lac Saint-Jean, au nord-ouest à celui de la rivière Nottaway grand tributaire de la baie James et au sud-ouest, aux affluents de l'Outaouais. Sa source principale est le réservoir Gouin [...] éloigné de Trois-Rivières d'environ 300 km» (*Noms et lieux du Québec. Dictionnaire illustré*, p. 702).

2 «Train de bois composé de plusieurs radeaux, se déplaçant au fil de l'eau ou tiré par un bateau, brelle.» (Gaston Dulong, *Dictionnaire des canadianismes*, p. 78.) Une cage est constituée d'un assemblage de pièces de bois liées ensemble pour leur permettre de descendre un cours d'eau sans avoir besoin de les faire flotter individuellement.

3 Rhum provenant des Antilles, plus spécialement de la Jamaïque.

4 Ville la plus importante de la Mauricie et la quatrième plus grande ville du Québec après Montréal, Laval et Québec, Trois-Rivières est située au confluent du fleuve Saint-Laurent et du Saint-Maurice (à 140 km de Montréal). La ville a été fondée par le sieur de Laviolette et est devenue la capitale mondiale du papier (*cf. Noms et lieux du Québec. Dictionnaire illustré*, p. 735-736).

5 Ancien nom d'Ottawa, ville devenue, en 1867, la capitale du Canada et le siège du Parlement.

6 Importante ville portuaire située à l'embouchure du Richelieu et à la tête du lac Saint-Pierre (à environ 85 kilomètres de Montréal). Les îles, en face de Sorel, et le Chenail du Moine ont été chantés par la romancière Germaine Guèvremont, en particulier dans *Le Survenant* (1945) et *Marie-Didace* (1947).

7 Ivre.

8 Rivière du Haut-Saint-Maurice qui prend sa source dans la rivière Vermillon et qui se déverse dans le Saint-Maurice, à 25 kilomètres de la ville de La Tuque. «Au début de la seconde moitié du XIXe siècle, des entrepreneurs forestiers établissent de nombreux chantiers de coupe à proximité de la rivière» (*cf. Noms et lieux du Québec. Dictionnaire illustré*, p. 569.)

9 Anglicisme. Patron, contremaître, chef.

10 Diriger.

11 Écrit *pilot*. Nous corrigeons.

12 Ramait.

13 «À l'époque où l'on voyageait par voie d'eau, le *portage* était un sentier permettant d'éviter un obstacle (chute, rapide) ou de réunir deux lacs, deux rivières [...]. Action de porter une embarcation, des approvisionnements, des marchandises d'un cours d'eau à un autre, d'un lac à un autre, du pied d'une chute au sommet de cette chute ou inversement.» (Gaston Dulong, *Dictionnaire des canadianismes*, p. 348.)

14 Sans doute deux rivières secondaires.

15 Juron populaire.

16 Juron inoffensif.

17 Rameurs.

18 *Faire son petit Jean-Lévêque* (graphie officielle), c'est-à-dire faire l'important (*cf.* Gaston Dulong, *Dictionnaire des canadianismes*, p. 249).

19 Nom pluriel. «Passages étroits d'un cours d'eau entre les îles d'un archipel.» (Léandre Bergeron, *Dictionnaire de la langue québécoise*, 1981, p. 126.)

20 Gosier, pomme d'Adam.

21 Écraser.

22 Diable.

23 Chevelure, tignasse.

24 En réalité, Sainte-Anne-de-la-Pérade. Municipalité située par de Batiscan, célèbre par la pêche aux petits poissons des chenaux (poulamons), qui, à chaque hiver, en janvier et en février, viennent se reproduire dans la rivière Sainte-Anne (*Noms et lieux du Québec. Dictionnaire illustré*, p. 630).

25 Il existe une rivière de ce nom qui est tributaire de la rivière Isukustuk, elle-même affluent de la rivière Manicouagan, sur le côté nord du Saint-Laurent. (*Cf.* Eugène Rouillard, *Dictionnaire des rivières et des lacs de la Province de Québec*, p. 30-31.)

26 Verbe pronominal. Se montrer têtu, se cabrer (en parlant d'un cheval).

27 Prononcer *djamme*. Embâcle.

28 «Sorte de hache à tranchant perpendiculaire au manche, dont se servent les charpentiers.» (Louis A. Belisle, *Petit dictionnaire canadien de la langue française*, p. 241.)

29 Blanc d'Espagne (v. 1340 on disait blanc d'Espaigne). Le blanc d'Espagne est une matière colorante qui sert à peindre. Calcédoine, craie, mastic. «Avoir le blanc d'Espagne dans le poignet», sans doute avoir de l'habileté pour exécuter un travail, pour faire quelque chose. Autrement dit, selon son expression, Jos Violon n'était pas manchot et en avait le tour. (*Cf.* Paul Robert, *Dictionnaire alphabétique et analogique de la langue française*, t. II, Paris, 1985, p. 19.)

30 Hérisser, mettre en désordre.

31 Verbe pronominal. Se rebiffer, se donner un air important.

32 On trouve aussi *débiscaillé*. Déformé, bossé, mais aussi accablé d'injures, invectiver (invictimer).

33 Invectiver.

34 Limites.

35 Aussi.

36 Aller chercher, attendre quelque chose avec un effort.

37 Le Rocher à l'Oiseau, haut de 150 mètres, domine la rive nord de la rivière des Outaouais. La partie inférieure de cet escarpement rocheux est recouverte de peintures rupestres amérindiennes qu'on croit dater du XVIIᵉ siècle et exécutées à l'encre rouge, en groupes dispersés. En 1686, le chevalier de Troyes en fait mention dans la *Relation* de son expédition à la baie d'Hudson depuis Montréal (*Noms et lieux du Québec. Dictionnaire illustré*, p. 497-498).

38 Peur.

39 Sans dire un mot.

40 Manger son frein.

41 Cimetière.

42 Adjectif qui marque un superlatif d'une épithète implicite que le contexte révèle.

43 Rasoir.
44 Qui aime jouer, s'amuser. Se dit aussi d'une femme grande et mince.
45 Faire accroire.
46 Lorgner curieusement du coin de l'œil.
47 Familier. Parler plus qu'il ne faut et avec volubilité.
48 Métamorphosé.
49 Cuisine.
50 Anglicisme. Guetter.
51 Lécher.
52 Mercenaires.
53 Litanies.
54 Balançoire.
55 Moustiques.
56 Fardoches.
57 Bougre.
58 Touisse. Tour.
59 Municipalité de la Mauricie située à l'orée du Parc national de la Mauricie (à un peu plus de 10 kilomètres de Grand-Mère). Son nom évoque «l'empilement des strates, couches sédimentaires horizontales qui affleurent dans cette partie de la Mauricie» (*Noms et lieux du Québec. Dictionnaire illustré*, p. 251).
60 Dérapage, embardée.

TOM CARIBOU

— Cric, crac, les enfants! Parli, parlo, parlons! Pour en savoir le court et le long, passez l'crachoir à Jos Violon. Sacatabi, sac-à-tabac! À la porte les ceuses qu'écouteront pas!

C'était la veille de Noël[1].

J'étais tout jeune bambin, et, pour me consoler de ne pas aller à la messe de minuit — il y avait plus d'une lieue de chez nous à l'église, et un accident quelconque était arrivé à notre cheval dans le cours de la journée — mon père m'avait permis, bien accompagné naturellement, d'assister à une *veillée de contes*, dont Jos Violon devait faire les frais chez le père Jean Bilodeau, un bon vieux de nos voisins que je vois encore assis à la porte du poêle, les coudes sur les genoux, avec le tuyau de son brûle-gueule enclavé entre les trois incisives qui lui restaient.

Jos Violon, comme on le sait peut-être, était un type très amusant, qui avait passé sa jeunesse dans les chantiers de «bois carré», et qui n'aimait rien tant que de raconter ses aventures de voyages dans les «Pays d'en haut», comme on appelait alors les coupes de bois de l'Ottawa, de la Gatineau ou du Saint-Maurice.

Ce soir-là, il était en verve.

Il avait été «compère» le matin, suivant son expression; et comme les accessoires de la cérémonie lui avaient mis un joli brin de brise dans les voiles, une histoire n'attendait pas l'autre.

Toutes des histoires de chantier, naturellement: batailles, accidents, pêches extraordinaires, chasses miraculeuses, apparitions, sortilèges, prouesses de toutes sortes, il y en avait pour tous les goûts.

— Dites-nous donc un conte de Noël, Jos, si vous en savez, en attendant qu'on parte pour la messe de mènuit, fit quelqu'un — une jeune fille qu'on appelait Phémie Boisvert, si je me rappelle bien.

Et Jos Violon, qui se vantait de connaître les égards dus au *sesque*, avait tout de suite débuté par les paroles sacramentelles que j'ai rapportées plus haut.

À la suite de quoi, après s'être humecté la luette avec un doigt de jamaïque, et avoir allumé sa pipe à la chandelle, à l'aide d'une de ces longues allumettes en cèdre dont nos pères, à la campagne, se servaient avant et même assez longtemps après l'invention des allumettes chimiques, il entama son récit en ces termes:

— C'était donc pour vous dire, les enfants, que, cette année-là, j'avions été faire une cage de pin rouge en haut de Bytown[2], à la fourche d'une petite rivière qu'on appelle la Galeuse, histoire, je présuppose, de rimer avec la Pouilleuse, qui se trouve un peu plus loin, du côté du lac à la Varmine.

Un pays, comme vous voyez, qui peut donner des démangeaisons, rien qu'à en entendre parler.

J'étions quinze dans not' chantier: le boss, le commis, le couque, un ligneux, le charrequier, deux coupeux de chemin, deux piqueurs, six grand'haches, épi un choreboy, autrement dit marmiton.

Tous des hommes corrects, bon travailleurs, pas chicaniers, pas bâdreux, pas sacreurs — on parle pas, comme de raison, d'un petit torrieux de temps en temps pour émoustiller la conversation — et pas ivrognes.

Excepté un, dame! faut ben le dire, un toffe[3]!

Ah! pour celui-là, par exemple, les enfants, on appelle pus ça ivrogne; quand il se rencontrait face à face avec une cruche, ou qu'il se trouvait le museau devant un flacon, c'était pas un homme, c'était un entonnoir.

Y venait de quèque part derrière les Trois-Rivières.

Son nom de chrétien était Thomas Baribeau; mais comme not' foreman[4] qu'était un Irlandais avait toujours de la misère à baragouiner ce nom-là en anglais, je l'avions baptisé parmi nous autres du surbroquet[5] de *Tom Caribou*.

Thomas Baribeau, Tom Caribou, ça se ressemblait, c'pas? Enfin, c'était son nom de cage, et le boss l'avait attrapé tout de suite, comme si c'avait été un nom de sa nation.

Toujours que, pour parler, m'a dire comme on dit, à mots couverts, Tom Caribou ou Thomas Baribeau, comme on voudra, était un gosier de fer-blanc première qualité, et par-dessus le marché, faut y donner ça, une rogne patente; quèque chose de dépareillé.

Quand je pense à tout ce que j'y ai entendu découdre contre le bon Dieu, la sainte Vierge, les anges et toute la saintarnité, il m'en passe encore des souleurs[6] dans le dos.

Il inventait la vitupération des principes, comme dit M. le curé.

Ah! l'enfant de sa mère, qu'il était donc chéti, c't'animal-là!

Ça parlait au diable, ça vendait la poule noire[7], ça reniait père et mère cinq six fois par jour, ça faisait jamais long comme ça de prière: enfin, je vous dirai que toute sa gueuse de carcasse, son âme avec, valait pas, sus vot' respèque, les quat' fers d'un chien. C'est mon opinion.

Y en avait pas manque dans not' gang qui prétendaient l'avoir vu courir le loup-garou à quat' pattes dans les champs, sans comparaison comme une bête, m'a dire comme on dit, qu'a pas reçu le baptême.

Tant qu'à moi, j'ai vu le véreux à quat' pattes ben des fois, mais c'était pas pour courir le loup-garou[8], je vous le persuade; il était ben trop soûl pour ça.

Tout de même, faut vous dire que pendant un bout de temps, j'étais un de ceux qui pensaient ben que si le flambeux courait queuque chose, c'était plutôt la chasse-galerie[9]; parce qu'un soir Titoine Pelchat, un de nos piqueurs, l'avait surpris qui descendait d'un grot'âbre, et qui y avait dit: "Toine, mon maudit, si t'as le malheur de parler de d'ça, je t'étripe fret, entends-tu?"

Comme de raison, Titoine avait raconté l'affaire à tout le chantier, mais sous secret.

Si vous savez pas ce que c'est que la chasse-galerie, les enfants, c'est moi qui peux vous dégoiser[10] ça dans le fin fil, parce que je l'ai vue, moi, la chasse-galerie.

Oui, moi, Jos Violon, un dimanche midi, entre la messe et les vêpres, je l'ai vue passer en l'air, dret devant l'église de Saint-Jean-Deschaillons[11], sus mon âme et conscience, comme je vous vois là!

C'était comme qui dirait un canot qui filait, je vous mens pas, comme une ripouste, à cinq cents pieds de terre pour le moins, monté par une dizaine de voyageurs en chemise rouge, qui nageaient comme des damnés, avec le diable deboute sus la pince de derrière, qui gouvernait de l'aviron.

Même qu'on le entendait chanter en répondant avec des voix de païens:

> Vlà l'bon vent! Vlà l'joli vent![12]

Mais il est bon de vous dire aussi que y a d'autres malfaisants qu'ont pas besoin de tout ce bataclan-là pour courir la chasse-galerie.

Les vrais hurlots comme Tom Caribou, ça grimpe tout simplement d'un âbre, épi ça se lance sus une branche, sus un bâton, sus n'importe quoi, et le diable les emporte.

Y font jusqu'à des cinq cents lieues d'une nuit pour aller marmiter on sait pas queux manigances de réprouvés dans des racoins oùs que les honnêtes gens voudraient pas mettre le nez pour une terre.

En tout cas, si Tom Caribou courait pas la chasse-galerie, quand y s'évadait le soir tout fin seul, en regardant par derrière lui si on le watchait[13], c'était toujours pas pour faire ses dévotions, parce que — y avait du sorcier là-dedans — malgré qu'on n'eût pas une goutte de boisson dans le chantier, l'insécrable empestait le rhum à quinze pieds, tous les matins que le bon Dieu amenait.

Oùs qu'il prenait ça? Vous allez le savoir, les enfants.

J'arrivions à la fin du mois de décembre, et la Noël approchait, quand une autre escouade qui faisait chantier pour le même bourgeois, à cinq lieues plus haut que nous autres sus la Galeuse, nous firent demander que si on voulait assister à la messe de mênuit, j'avions qu'à les rejoindre, vu qu'un missionnaire qui r'soudait de chez les sauvages du Nipissingue[14] serait là pour nous la chanter.

— Batêche! qu'on dit, on voit pas souvent d'enfants-Jésus dans les chantiers, ça y sera!

On n'est pas des anges, dans la profession de voyageurs, vous comprenez, les enfants.

On a beau pas invictimer les saints, épi escandaliser le bon Dieu à cœur de jour, comme Tom Caribou, on passe pas six mois dans le bois épi six mois sus les cages par année sans être un petit brin slack[15] sus la religion.

Mais y a toujours des imites[16] pour être des pas grand'chose, pas vrai! Malgré qu'on n'attrape pas des crampes aux mâchoires à ronger les balustres, et qu'on fasse pas la partie de brisque[17] tous les soirs avec le bedeau, on aime toujours à se rappeler, c'pas, qu'un Canayen a d'autre chose que l'âme d'un chien dans le moule de sa bougrine, sus vot' respèque.

Ça fait que la tripe fut ben vite décidée, et toutes les affaires arrimées pour l'occasion.

Y faisait beau clair de lune; la neige était snog pour la raquette; on pouvait partir après souper, arriver correct pour la messe, et être revenus flèche pour déjeuner le lendemain matin, si par cas y avait pas moyen de coucher là.

— Vous irez tout seuls, mes bouts de crime!... dit Tom Caribou, avec un chapelet de blasphèmes à faire dresser les cheveux, et en frondant un coup de poing à se splitter[18] les jointures sur la table de la cambuse.

Pas besoin de vous dire, je présuppose, que personne de nous autres s'avisit de se mettre à genoux pour tourmenter le pendard. C'était pas l'absence d'un marabout pareil qui pouvait faire manquer la cérémonie, et j'avions pas besoin de sa belle voix pour entonner la *Nouvelle agréable*[19].

— Eh ben, si tu veux pas venir, lui dit le foreman, gêne-toi pas, mon vieux. Tu garderas la cabane. Et puisque tu veux pas voir le bon Dieu, je te souhaite de pas voir le diable pendant qu'on n'y sera pas.

Pour lorse, les enfants, que nous v'là partis, la ceinture autour du corps, les raquettes aux argots, avec chacun son petit sac de provisions sur l'épaule, et la moiquié d'une torquette[20] de travers dans le gouleron[21].

Comme on n'avait qu'à suivre la rivière, la route faisait risette, comme vous pensez bien; et je filions en chantant *La Boulangère*[22], sus la belle neige fine, avec un ciel comme qui dirait viré en cristal, ma foi de gueux, sans rencontrer tant seulement un bourdignon[23] ni une craque pour nous interboliser[24] la manœuvre.

Tout ce que je peux vous dire, les enfants, c'est qu'on n'a pas souvent de petites parties de plaisir comme ça dans les chantiers!

Vrai, là! on s'imaginait entendre la vieille cloche de la paroisse qui nous chantait: *Viens donc! viens donc!*[25] comme dans le bon vieux temps; et des fois, le mistrigris m'emporte! je me retournais pour voir si je voirais pas venir derrière nous autres queuque beau petit trotteur de par cheux nous, la crigne au vent, avec sa paire de clochettes pendue au collier, ou sa bande de gorlots fortillants à la martingale.

C'est ça qui vous dégourdissait le Canayen, un peu croche!

Et je vous dis, moi, attention! que c'était un peu beau de voir arpenter Jos Violon ce soir-là! C'est tout ce que j'ai à vous dire.

Not' messe de mênuit, les enfants, j'ai pas besoin de vous dire que ça ne fut pas fionné[26] comme les cérémonies de Monseigneur.

Le curé avait pas un set de garnitures numéro trente-six; les agrès de l'autel reluisaient pas assez pour nous éborgner; les chantres avaient pas toute le sifflette huilé comme des gosiers de rossignols, et les servants de messe auraient eu, j'crois ben, un peu p'us de façon l'épaule sour le cantouque que l'encensoir au bout du bras.

Avec ça que yavait pas plus d'Enfant-Jésus que sus la main! Ce qui est pas, comme vous savez, rien qu'un bouton de bricole[27] de manque pour une messe de mênuit.

Pour dire la vérité, le saint homme Job pouvait pas avoir un gréement pus pauvre que ça pour dire sa messe!

Mais, c't'égal, y a ben eu des messes en musique qui valaient pas c't'elle-là, mes p'tits cœurs, je vous en donne la parole d'honneur de Jos Violon!

Ça nous rappelait le vieux temps, voyez-vous, la vieille paroisse, la vieille maison, la vieille mère... exétéra.

Bon sang de mon âme, les enfants, Jos Violon est pas un pince-la-lippe, ni un braillard de la Madeleine, vous savez ça; eh ben, je finissais pas de changer ma chique de bord pour m'empêcher de pleurer.

Mais y s'agit pas de tout ça, faut savoir ce qu'était arrivé à Tom Caribou pendant not' absence.

Comme de raison, c'est pas la peine de vous conter qu'après la messe, on revient au chantier en piquant au plus court par le même chemin. Ce qui fait qu'il était grand jour quand on aperçut la cabane.

D'abord on fut joliment surpris de pas voir tant seulement une pincée de boucane sortir du tuyau;

mais on le fut encore ben plusse quand on trouvit la porte toute grande ouverte, le poêle raide mort, et pas plus de Tom Caribou que dans nos sacs de provisions.

Je vous mens pas, la première idée qui nous vint, c'est que le diable l'avait emporté.

Un vacabond de c't'espèce-là, c'pas?...

— Mais c't'égal, qu'on se dit, faut toujours le sarcher.

C'était pas aisé de le sarcher, vu qu'il avait pas neigé depuis plusieurs jours, et qu'y avait des pistes éparpillées tout alentour de la cabane, et jusque dans le fond du bois, si ben encroisaillées[28] de tout bord et de tout côté, que y avait pas moyen de s'y reconnaître.

Chanceusement que le bosse avait un chien ben smart:[29] *Polisson*, qu'on l'appelait par amiquié.

— Polisson, sarche, qu'on lui dit.

Et v'là Polisson parti en furetant, la queue en l'air, le nez dans la neige; et nous autres par derrière avec un fusil à deux coups chargé à balle.

On savait pas ce qu'on pourrait rencontrer dans le bois, vous comprenez ben.

Et je vous dis, les enfants, que j'avions un peu ben fait de pas oublier c't'instrument-là, comme vous allez voir.

Dans les chantiers faut des précautions.

Un bon fusil d'enne cabane, c'est sans comparaison comme le cotillon d'une créature dans le ménage. Rappelez-vous ben ça, les enfants.

Toujours que c't'fois-là, c'est pas à cause que c'est moi qui le manœuvrais, mais je vous persuade qu'il servit à queuque chose, le fusil.

Y avait pas deux minutes qu'on reluquait à travers les branches, que v'là not' chien figé dret sus son derrière, et qui tremblait comme une feuille.

Parole de Jos Violon, j'crois que si le vlimeux avait pas eu honte, y revirait de bord pour se sauver à la maison.

Moi, je perds pas de temps, j'épaule mon fusil, et j'avance...

Vous pourrez jamais vous imaginer, les enfants, de quoi t'est-ce que j'aperçus dret devant moi, dans le défaut d'une petite coulée, là oùs que le bois était un peu plus dru, et la neige un peu plus épaisse qu'ailleurs.

C'était pas drôle! je vous en signe mon papier.

Ou plutôt, ça l'aurait ben été, si c'avait pas été si effrayant.

Imaginez-vous que not' Tom Caribou était braqué dans la fourche d'un gros merisier, blanc comme un drap, les yeux sortis de la tête, et fisqués su la physiolomie d'une mère d'ourse qui tenait le merisier à brasse-corps, deux pieds au-dessous de lui.

Batiscan d'une petite image! Jos Violon est pas un homme pour cheniquer[30] devant une crêpe à virer, vous savez ça; eh ben, le sang me fit rien qu'un tour depuis la grosse orteil jusqu'à la fossette du cou.

— C'est le temps de pas manquer ton coup, mon pauvre Jos Violon, que je me dis. Envoie fort, ou ben fais ton acte de contorsion[31]!

Y avait pas à barguiner[32], comme on dit. Je fais ni une ni deux, vlan! Je vrille mes deux balles raide entre le deux épaules de l'ourse.

La bête pousse un grognement, étend les pattes, lâche l'âbre, fait de la toile[33], et timbe sus le dos, les reins cassés.

Il était temps.

J'avais encore mon fusil à l'épaule, que je vis un autre paquet dégringoler de l'âbre.

C'était mon Tom Caribou, sans connaissance, qui venait s'élonger en plein travers de l'ourse les quat' fers en l'air, avec un rôdeux de coup de griffe dans le fond... de sa conscience, et la tête... devinez, les enfants!... La tête toute blanche!

Oui, la tête blanche! la crignasse y avait blanchi de peur dans c'te nuit-là, aussi vrai que je vas prendre un coup tout à l'heure, avec la grâce du bon Dieu et la permission du père Bilodeau, que ça lui sera rendu, comme on dit, au *sanctus*[34].

Oui, vrai! le malvat avait vieilli au point que j'avions de la misère à le reconnaître.

Pourtant c'était ben lui, et fallait pas l'abâdonner.

Vite, on afistole une estèque[35] avec des branches, épi on couche mon homme dessus, en prenant ben garde, naturellement, au jambon que l'ourse y avait détérioré dans les bas côtés de la corporation; épi on le ramène au chantier, à moitié mort et aux trois quarts gelé raide comme un saucisson.

Après ça, dame, il fallait aussi draver[36] l'ourse jusqu'à la cambuse.

Mais vlà-t-y pas une autre histoire!

Vous traiterez Jos Violon de menteur si vous voulez, les enfants; c'était pas croyable, mais la vingueuse de bête sentait la boisson, sans comparaison comme une vieille tonne défoncée; que ça donnait des envies de licher l'animal, à ce que disait Titoine Pelchat.

Tom Caribou avait jamais eu l'haleine si ben réussie.

Mais, laissez faire, allez, c'était pas un miracle.

On comprit l'affaire quand Tom fut capable de parler, et qu'on apprit ce qui était arrivé.

Vous savez, les enfants — si vous le savez pas, c'est Jos Violon qui va vous le dire — que les ours passent pas leux hiver à travailler aux chantiers comme nous autres, les bûcheux de bois carré, autrement dits voyageurs.

Ben loin de travailler, c'te nation-là pousse la paresse au point qu'ils mangent seulement pas.

Aux premières gelées de l'automne, y se creusent un trou entre les racines d'un âbre, et se laissent enterrer là tout vivants dans la neige qui fond par-dessour, de manière à leux faire une espèce de réservoir, là y oùs qu'ils passent leux hivernement, à moitié endormis comme des armottes[37], en se lichant les pattes en guise de repas.

Le nôtre, ou plutôt celui de Tom Caribou, avait choisi la racine de ce merisier-là pour se mettre à l'abri, tandis que Tom Caribou avait choisi la fourche... je vous dirai pourquoi tout à l'heure.

Seulement — vous vous rappelez, c'pas, que le terrain allait en pente — Tom Caribou, c'qu'était tout naturel, rejoignait sa fourche du côté d'en-haut; et l'ourse, c'qu'était ben naturel étout, avait creusé son trou du côté d'en bas, oùs que les racines étaient plus sorties de terre.

Ce qui fait que les deux animaux se trouvaient presque voisins sans s'être jamais rencontrés. Chacun s'imaginait qu'il avait le merisier pour lui tout seul.

Vous allez me demander quelle affaire Tom Caribou avait dans c'te fourche.

Eh ben, dans c'te fourche y avait un creux, et dans ce creux notre ivrogne avait caché une cruche de whisky en esprit qu'il avait réussi à faufiler dans le chantier, on sait pas trop comment.

On suppose qu'il nous l'avait fait traîner entre deux eaux, au bout d'une ficelle, en arrière du canot.

Toujours est-il qu'il l'avait! Et le soir, en cachette, il grimpait dans le merisier pour aller emplir son flasque.

C'était de c't'âbre-là que Titoine Pelchat l'avait vu descendre, la fois qu'on avait parlé de chasse-galerie; et c'est pour ça que tous les matins, on aurait pu lui faire flamber le soupirail rien qu'en lui passant un tison sur le nez.

Ainsi, donc, comme dit M. le curé, après not' départ pour la messe de mênuit, Tom Caribou avait été emplir son flasque[38].

Un jour de grand'fête, comme de bonne raison, le flasque s'était vidé vite, malgré que le vicieux fût tout seul à se payer la traite; et mon Tom Caribou était retourné à son armoire pour renouveler ses provisions.

Malheureusement, si le flasque était vide, Tom Caribou l'était pas, lui. Au contraire, il était trop plein.

La cruche s'était débouchée, et le whisky avait dégorgé à plein gouleron[39] de l'autre côté du merisier, dret sus le museau de la mère ourse.

La vieille s'était d'abord liché les babines en reniflant; et trouvant que c'te pluie-là avait un drôle de goût et une curieuse de senteur, elle avait ouvert les yeux. Les yeux ouverts, le whisky avait coulé dedans.

Du whisky en esprit, les enfants, faut pas demander si la bête se réveillit pour tout de bon.

En entendant le hurlement, Tom Caribou était parti à descendre; mais, bougez pas! l'ourse qui l'avait entendu grouiller, avait fait le tour de l'âbre, et avant que le malheureux fût à moitié chemin, elle lui avait posé, sus vot' respèque, pour parler dans les tarmes, la patte dret sur le rond-point.

Seulement, l'animal était trop engourdi pour faire plusse; et, pendant que not' possédé se racotillait[40] dans l'âbre, le l'envers du frontispice tout ensanglanté, il était resté à tenir le merisier à brassée, sans pouvoir aller plus loin...

V'là ce qui s'était passé... Vous voyez que, si l'ourse sentait le whisky, c'était pas un miracle.

Pauvre Tom Caribou! entre nous autres, ça prit trois grandes semaines pour lui radouer le fond de cale. C'est Titoine Pelchat qui y collait les catapleumes[41] sus la... comme disent les notaires, sur la propriété foncière.

Jamais on parvint à mettre dans le cabochon de notre ivrogne que c'était pas le diable en personne qu'il avait vu, et qui y avait endommagé le cadran de c'te façon-là.

Fallait le voir tout piteux, tout cireux, tout débiscaillé[42], le toupet comme un croxignole[43] roulé dans le sucre blanc, et qui demandait pardon, même au chien, de tous ses sacres et de toutes ses ribotes.

Il pouvait pas s'assire, comme de raison; pour lorse qu'il était obligé de rester à genoux.

C'était sa punition pour pas avoir voulu s'y mettre d'un bon cœur le jour de Noël...

Et cric! crac! cra!

Sacatabi, sac-à-tabac!

Mon histoire finit d'en par là.

Édouard-Zotique Massicotte [compilateur], *Conteurs Canadiens-français du XIXᵉ siècle*, Montréal, C.-O. Beauchemin & fils, 1902, p. 162-175

Notes

1 Voici le début de ce conte, après la formule sacramentelle, paru dans *La Patrie* du 24 décembre 1895:

Est-il besoin de dire que le conteur qui débutait ainsi n'était autre que Jos Violon lui-même, mon ami Jos Violon, qui présidait à une *veillée de contes*, la veille de Noël, chez le père Jos Bilodeau, un vieux forgeron de notre voisinage.

Pauvre vieux Jean Bilodeau, il y a maintenant plus de cinquante ans que j'ai entendu résonner son enclume, et il me semble le voir encore assis à la porte du poêle, les coudes sur les genoux, avec le tuyau de son brûle-gueule enclavé entre ses trois incisives qui lui restaient.

Jos Violon était un type très amusant, qui avait passé sa jeunesse dans les chantiers de «bois carré», et qui n'aimait rien tant que de raconter ses aventures de voyages dans les «pays d'en haut», comme on appelait alors les coupes de bois de l'Ottawa, de la Gatineau et du Saint-Maurice.

2 Ancien nom d'Ottawa, ville devenue, en 1867, la capitale du Canada et le siège du Parlement.

3 Anglicisme. «Personne de caractère difficile, revêche, entêté.» (Léandre Bergeron, *Dictionnaire de la langue québécoise*, 1981, p. 489.)

4 Anglicisme. Contremaître, surveillant des travaux.

5 Déformation de sobriquet.

6 Peur.

7 Sur la vente de la poule noire, on consultera Aurélien Boivin, «De quelques êtres surnaturels dans le conte littéraire québécois au XIXe siècle», dans *Nord*, n° 7 (automne 1977), p. 9-40 [v. p. 15-18].

8 Expression populaire qui signifie aussi «courir la galipote». Le soir, entre chien et loup, un chrétien qui n'a pas fait ses pâques, c'est-à-dire qui ne s'est pas confessé et n'a pas communié, depuis sept ans, est métamorphosé en loup-garou et se promène dans les campagnes en prenant la forme de n'importe lequel animal, le plus souvent d'un loup ou d'un chien, mais jamais celle d'une brebis, par respect pour l'agneau pascal. Il n'y a qu'une seule façon de se débarrasser d'un loup-garou et de délivrer l'âme du chrétien qui s'y cache: tracer une croix sur son front lavé par l'eau sainte du baptême afin que le sang coule. Ce geste est un geste de rédemption puisque le pécheur «viré loup-garou» reprend sa forme humaine et, sitôt délivré, doit aller se confesser et communier. (Voir Aurélien Boivin, «De quelques êtres surnaturels dans le conte littéraire québécois au XIXe siècle», dans *Nord*, n° 7 (automne 1977), p. 9-40 [v. p. 25-28].)

9 Légende populaire. Honoré Beaugrand et Louis Fréchette («Titange») nous ont donné les meilleures versions de cette légende au XIXᵉ siècle. (Voir encore Aurélien Boivin, «De quelques êtres surnaturels dans le conte littéraire québécois au XIXᵉ siècle», dans *Nord*, nᵒ 7 (automne 1977), p. 9-40 [v. p. 19-20].)

10 Familier. Parler plus qu'il ne faut et avec volubilité.

11 Aujourd'hui Deschaillons-sur-Saint-Laurent, anciennement Saint-Jean-Baptiste-de-Deschaillons. Municipalité rurale du comté de Bécancour, bornée au nord par le fleuve Saint-Laurent. (Voir *Noms et lieux du Québec. Dictionnaire illustré*, p. 172.)

12 Chanson folklorique.

13 Anglicisme. Surveillait.

14 Il s'agit du lac Nipissing, situé à une cinquantaine de kilomètres à l'ouest-sud-ouest de La Tuque. On lit, dans *Noms et lieux du Québec. Dictionnaire illustré*: «Au début de la colonie, une nation de la famille algonquienne vivait sur ce lac ontarien et portait le nom de Nipissings (Nipissingues, Népissingues, Nipissins, Nipissonniens), nation appelée Sorciers par les Français» (p. 479).

15 Anglicisme. Lousse, lâche, mou.

16 Limites.

17 Jeu de carte.

18 Frapper.

19 Cantique de Noël encore chanté de nos jours à l'occasion de cette fête.

20 Tablette (de tabac).

21 Goulot (le gorgoton).

22 «La Boulangère» est une chanson attribuée à Gallet (1698-1755), chansonnier parisien. C'est une chanson ancienne que les gens chantaient au temps de Louis Fréchette. On trouve le texte dans *La vieille chanson française*, Paris, L.Boulanger éditeur, [s. d.], 128 p. [v. p. 94]. Le renseignement nous a été fourni par monsieur Conrad Laforte, spécialiste de la chanson traditionnelle et de la chanson française.

23 «Motte de terre gelée ou de neige durcie. Morceau de glace faisant saillie.» (Léandre Bergeron, *Dictionnaire de la langue québécoise*, 1981, p. 92.)

24 Interdire.

25 Voilà qui n'est pas un titre de chanson, mais une allusion à l'invitation des cloches du village ou du hameau dont le carillon, ding dong, semble signifier pour les voyageurs et pour le peuple «Viens donc! viens donc!» Comme on le sait, dans le folklore, les cloches qui appellent ont des sons et des messages différents selon les airs ou les mélodies qui s'en dégagent.

26 Faire des fions, c'est-à-dire décorer avec des ornements et des fioritures.

27 Bretelles.

28 Entrecroiser.

29 Gentil, sympathique, intelligent.

30 «Renoncer à une entreprise, céder, se dérober.» (Léandre Bergeron, *Dictionnaire de la langue québécoise*, 1981, p. 126.)

31 Contrition.

32 Aussi *bargainer*. Faire un marché, marchander.

33 Défaillir, avoir une faiblesse.

34 Déformation de l'expression *rendre au centuple*.

35 Point d'appui avec levier. Ici, signifie peut-être un lit fabriqué des deux petits arbres (comme brancards) avec des branches de sapin comme toile de fond.

36 Transporter.

37 Marmottes.

38 Flacon.

39 Goulot.

40 Aussi *racoquiller*. Se recroqueviller.

41 Cataplasme.

42 Déformé, bossé.

43 Croquignole, pâtisserie, beignet cuit dans la graisse.

COQ
POMERLEAU

Inutile de vous présenter Jos Violon, n'est-ce pas? Mes lecteurs connaissent le type.

Je ne dirai pas qu'il était en verve, ce soir-là: il l'était toujours; mais il paraissait tout particulièrement gai; et ce fut par des acclamations joyeuses que nous l'applaudîmes, quand il nous annonça le récit des aventures de Coq Pomerleau.

Nous fîmes silence; et, après s'être humecté la luette d'un petit verre de rhum, s'être fait claquer la langue avec satisfaction, et avoir allumé sa pipe à la chandelle, en disant: «Excusez la mèche!» il commença par sa formule ordinaire:

«Cric, crac, les enfants! Parli, parlo, parlons! Pour en savoir le court et le long, passez le crachoir à Jos Violon! Sacatabi, sac-à-tabac, à la porte les ceuses qu'écouteront pas!…»

Puis s'essuyant les lèvres du revers de sa manche, il aborda carrément son sujet:

Vous avez p'tète ben entendu dire, les enfants, que dans les Pays d'en haut, y avait des rivières qui coulaient en remontant. Ça l'air pas mal extrédinaire, c'pas; et ben faut pas rire des ceuses qui vous racontent ça. Ces rivières-là sont ensorcelées. Écoutez ben ce que je m'en vas vous raconter.

— C'était donc pour vous dire, les enfants, que c't automne-là j'étais, m'a dire comme on dit, en décis de savoir[1] si j'irais en hivernement[2]. Y avait quatorze ans que je faisais chanquier, je connaissais les hauts sus le bout de mon doigt, le méquier commençait à me fatiguer le gabareau[3], et j'avais quasiment une idée de me reposer avec la bonne femme, en attendant le printemps.

J'avais même déjà refusé deux bons engagements, quand je vis ressoudre un de mes grands oncles de la Beauce[4]; le bom' Gustin Pomerleau, que j'avais pas vu depuis l'année du grand choléra[5].

Y m'emmenait son garçon pour y faire faire sa cléricature de voyageur et son apprentissage dans l'administration de la grand'hache et du bois carré.

Ça prenait Jos Violon pour ça, vous comprenez.

Le bonhomme aimait à faire des rimettes:

— Mon neveu, qu'y me dit, dit-il, v'là mon fils, j'te le confie, pour son profit.

Fallait ben répondre sur la même air, c'pas? J'y dis:

— Père Pomerleau, j'suis pas un gorlot, laissez-moi le matelot, *sed libera nos a malo*[6]!

C'est ça, par exemple, qui tordit l'ambition au bom' Gustin! Y pensait pas que Jos Violon pouvait le matcher[7] de c'te façon-là, ben sûr.

— Comment c'qui s'appelle, le petit? que je dis.

— Ah! ben dame, ça, comment c'qui s'appelle? je pourrais pas dire. Son parrain y avait donné un drôle de nom qui rimait presque à rien; et comme sa mère pouvait jamais s'en rappeler, elle l'a toujours appelé P'tit Coq. Ça fait que depuis ce temps-là, les gens de par cheux nous l'appellent pas autrement que le Coq à Pomerleau, ou ben Coq Pomerleau tout court. On y connaît pas d'aut'signature.

Et pour mettre le fion[8] au document, v'là le bonhomme encore parti sus la rimette:

— Tu trouveras pas, sous vot' respec', dans tout Québec, la pipe au bec, un jeune homme plus correc', t'auras pas honte avec!

— Eh ben, que j'y dis, dit-il, ça y est, mon Coq, j'te prends! Va t'acheter une chemise rouge, des bottes malouines[9], une paire de raquettes, un couteau à ressort, un batte-feu[10], avec une ceinture fléchée; t'es mon clerc! Et pi si t'es plôque[11], et que tu te comportes en brick[12], y aura pas un ciseau dans Sorel pour t'en remontrer l'année prochaine, je t'en signe mon papier!

Huit jours après, on se crachait dans les mains, et ho! sus l'aviron.

Parce que faut vous dire, les enfants, que dans ce temps-là, c'était pas le *John-Munn* ni le *Québec*[13] qui nous montait au Morial. On faisait la route en canots d'écorce, par gang de trois, quatre, cinq canots, en nageant et en chantant, qu'y avait rien de plus beau.

À c't heure, bondance! y a pus de fun à voyager. On part, on arrive: on voyage pas. Parlez-moi d'y a vingt-cinq à trente ans, c'est Jos Violon qui vous dit ça! C'était queuque chose, dans ce temps-là que le méquier de voyageur!

Le Coq, qu'avait jamais, lui, travelé autrement qu'en berlot, ou en petit cabarouette dans les chemins de campagne, avait pas tout à fait la twist[14] dans le poignet pour l'aviron; mais on voyait qu'y faisait de son mieux pour se dégourdir.

Avec ça qu'y devait avoir de quoi pour se dégourdir le canayen en effette, parce que, de temps en temps, je le voyais qui se passait la main dans sa chemise, et qui se baissait la tête, sous vot' respec', comme pour sucer quèque chose.

Je croyais d'abord qu'y prenait une chique[15]; mais y a des imites[16] pour chiquer. On a beau venir de la Beauce, un homme peut toujours pas virer trois ou quatre torquettes[17] en sirop dans son après-midi.

Enfin, je m'aperçus qu'au lieur de prendre une chique, c'était d'autre chose qu'y prenait.

— L'enfant de potence! que je dis, il va être mort-ivre avant d'arriver à Batiscan[18].

Mais, bougez pas! c'est pas pour rien dire de trop, mais j'cré que si le vlimeux avait besoin de s'exercer le bras, c'était toujours pas pour apprendre à lever le coude.

Sous ce rapport-là, les camarades aussi ben comme moi, on fut pas longtemps à s'apercevoir que sa cléricature était faite; le flambeux[19] gardit sa connaissance jusqu'à Trois-Rivières.

Là, par exemple, les enfants, ça fut une autre paire de manches. C'était pus un jeune homme, c'était une tempête.

Où c' qu'il avait appris à sacrer comme ça? je le demande. C'était toujours pas à Trois-Rivières, puisqu'il venait d'arriver.

En tout cas, il avait pas besoin de faire de cléricature pour ça non plus. C'est mon opinion!

Dans la soirée, on se rencontrit avec d'autres voyageurs qui partaient pour les chanquiers du Saint-Maurice; et je vous persuade que les voyageurs de Trois-Rivières, les enfants, c'est ça qu'est toffe!

Quoi qu'il en soit, comme dit M. le curé — à propos de je sais pas quoi, v'là la chicane pris entre mon Coq Pomerleau épi une grande gaffe de marabout de six pieds et demi, du nom de Christophe Brindamour, qu'avait un drôle de surbroquet.

Christophe Brindamour, vous comprenez, c'était ben trop long à dégoiser[20] pour les camarades. On l'avait baptisé le grand *Crisse*, en manière de raccourcis.

Ah! Le Jupiter, c'est ça qu'avait du criminel dans le corps!

Je pensais ben qu'y ferait rien qu'une bouchée de mon petit apprenti de la Beauce; mais comme ils étaient ben soûls tous les deux, ils se firent pas grand mal.

Seulement, le grand Crisse avait c'te histoire-là sus le cœur, lui; et, le lendemain matin, quand nos canots prirent le large, il était là sus le quai, qui inventait la vitupération de sacrements contre Coq Pomerleau.

On avait beau nager et filer dru, on entendait toujours sa voix de réprouvé qui hurlait à s'égosiller:

— Par le démon des Piles[21], par le chat noir des Forges[22], par le gueulard du Saint-Maurice, et tous les jacks mistigris du Mont-à-l'Oiseau[23], j'te maudis, j't'emmorphose[24] et j't'ensorcelle jusqu'à la troisième régénération! Que le choléra morbus te revire à l'envers, et que le diable des Anglais te fasse sécher le dedans sus le bord du canot comme une peau de chat sauvage écorché. C'est le bonheur que j'te souhaite!

Exétéra. Y en avait comme ça une rubandelle[25] qui finissait pus; que ça nous faisait redresser les cheveux, je vous mens pas, raides comme des manches de pipes. Y nous semblait voir des trâlées de diablotins et de gripettes y sortir tout vivants du gosier. Ah! le Chrysostome...!

Le pauvre Coq Pomerleau en tremblait comme une feuille, et baissait la tête pour laisser passer la squall[26] en prenant son petit coup.

Enfin, on finit toujours par être hors de vue, et chacun fit de son mieux pour continuer la route sur une autre chanson.

On réponnait faraud[27] en accordant sus l'aviron, et malgré toutes les invictimes[28] du grand Crisse, ça montait sus le lac comme une bénédiction.

Mais Coq Pomerleau avait comme manière de diable-bleu dans le pignon[29], et qu'on chantît ou qu'on se reposît, y restait toujours jongleur[30].

L'aviron au bout du bras, on ben le sac de provisions sus le dos dans les portages, il avait toujours la mine de ruminer quèque rubrique d'enterrement.

— Mon oncle... qu'y me dit un soir.

L'insécrable m'appelait toujours son oncle, malgré que je fus pas plus sont oncle qu'il était mon neveu.

— Mon oncle, qu'y me dit un soir avant de s'endormir, j'sut ensorcelé.

— De quoi?

— J'sut ensorcelé.

— Es-tu fou?

— Quant j'vous dis!

— Tais-toi donc!

— J'vous dis que j'sut ensorcelé, moi! Le grand Crisse m'a ensorcelé. Vous voirez si y nous arrive pas quèque malheur!

— Dors, va!

Mais c'était toujours à recommencer, et ça fut comme ça jusqu'à Bytown[31].

Pas moyen de y aveindre[32] autre chose de dedans le baril. Le grand Crisse à Brindamour l'avait ensorcelé; ça, il l'avait si ben vissé dans le coco, que y avait pas de tire-bouchon capable d'en venir à bout. Il en démordait pas.

— Vous voirez, mon oncle, qu'y me renotait du matin au soir, vous voirez que le maudit nous attirera quèque vilaine traverse.

Enfin, n'importe, comme dit M. le curé, nous v'lons rendus à Bytown, not' dernier poste avant de s'embarquer dans la Gatineau[33], là où c'que j'allions faire chanquier pour les Gilmore.

Comme de raison, pas besoin de vous dire que c'est pas dans le caractère du voyageur de passer tout dret quand on arrive à Bytown. Y faut au moins faire là une petite estation, quand on y fait pas une neuvaine.

Pour tant qu'à mon Coq Pomerleau, ça fut une brosse[34] dans les règles.

Le rhum y coulait dans le gosier, qu'il avait tant seulement pas le temps d'envaler.

Une éponge, les enfants! Ou plutôt un dalot à patente.

Parole de Jos Violon, j'ai vu pintocher[35] ben des fois dans ma profession de voyageur; et ben, ça me faisait chambranler rien qu'à le regarder faire.

Pour piquer au plus court, je pourrais pas dire si c'te inondation-là durit ben longtemps, mais je sais ben qu'arrivés sus not' départ, mon Coq Pomerleau était si tellement soûl, que je fus obligé de le porter dans le canot.

Épi en route sus la Gatineau, en chantant:

C'est les avirons qui nous mènent en haut,
C'est les avirons qui nous montent[36].

Faulait nous voir aller, les enfants!

On aurait dit, ma grand'conscience, que les canots sortaient de l'eau à chaque coup d'avirons.

Pas de courant pour la peine; on filait comme le vent, ni plus ni moins.

Coq Pomerleau, lui, ronflait dans le fond du canot, que c'était un plaisir de l'entendre.

Ça marchit comme ça, jusqu'à tard dans l'après-midi.

Mais j'étions pas au plus beau, comme vous allez voir.

Quand ça vint sus les quatre heures, v'là-t-y pas mon paroissien qui se réveille…

Enragé, les enfants! Enragé!

On savait ben ce qu'il avait bu, mais on savait pas ce qu'il avait mangé: il avait le démon dans le corps.

— J'sut ensorcelé! qu'y criait comme un perdu; j'sut ensorcelé!

J'essayis de le calmer, mais j't'en fiche! Y sautait dans le canot comme un éturgeon au bout d'une ligne.

Ça pouvait nous faire chavirer, vous comprenez ben. V'là les camarades en fifre.

— Faites-lé tenir tranquille! que me crie le boss, ou ben, je le fais bouger[37] à l'eau.

C'était pas aisé de le faire tenir tranquille, le véreux connaissait pus personne. Y criait, y hurlait, y tempêtait, y se débattait comme un possédé, y avait pas moyen d'en jouir.

Tout à coup, bang! v'là une, deux, trois lames dans le canot.

Le boss lâche une bordée de sacres, comme de raison.

— À terre! qu'il crie; à terre, bout de crime! Laissons-lé en chemin, et que le diable le berce! On va-t-y se laisser neyer par ce torrieux-là?

Et v'là le canot dans les joncs.

— Débarque! débarque, pendard! on en a assez de toi.

— J'sut ensorcelé! criait Coq Pomerleau.

— Eh ben, va te faire désensorceler par ta grand'mère, ivrogne! que répondait le boss.

— Débarque! débarque! criaient les autres.

Y avait pas moyen de rébicheter, faulait ben obéir.

Mais c'était mon clerc, c'pas; je pouvais pas l'ambâdonner.

— Je débarque avec, que je dis.

— Comme tu voudras, que fait le boss.

Et nous v'lons tous les deux dans la vase jusqu'aux genoux.

— Quiens! v'là des provisions, que me crie un des camarades en me jetant la moitié d'un petit pain, et bonsoir!

Après ça, file!

Pas besoin de vous dire si j'avais le visage long, tout fin seul sus c'te grève, avec mon soûlard sus les bras, et la moitié d'un petit pain pour toute consolation.

Chanceusement que Jos Violon est pas venu au monde dans les concessions, vous savez ça. J'avais remarqué en montant un vieux chanquier en démence, où c'que j'avions campé une fois dans le temps, et qui se trouvait pas ben loin d'où c'qu'on nous avait dit bonsoir.

J'traînis mon Coq Pomerleau jusque-là; on cassit une croûte, et la nuit arrivée, nous v'là couchés sus un lit de branches de sapin, et dors, garçon!

Le lendemain, au petit jour, on était sus pied.

Mais v'là-t-y pas une autre affaire! Embrouillés, les enfants, embrouillés, que y avait pas moyen de reconnaître où c'que j'en étions.

Coq Pomerleau surtout se tâtait, se revirait sus tous les bords, renifflait, regardait en l'air, comme un homme qu'a perdu trente-six pains de sa fournée.

Il était ben dessoûlé pourtant; mais malgré ça, il avait l'air tout ébaroui.

— Mon oncle! qu'y me dit.

— De quoi? que je réponds.

— De queu côté qu'on est débarqué hier au soir?

— C'te demande! de ce côté icitte.

— C'est pas sûr, qu'y dit.

Je l'cré ben, que c'était pas sûr; moi-même y avait un bout de temps que je me demandais si j'avais la berlue.

Mais puisque le Coq s'apercevait de la manigance comme moi, fallait ben qu'y eût du r'sort là-dedans.

Croyez-moi ou croyez-moi pas, les enfants, j'étions revirés bout pour bout, ou sens devant derrière, comme on voudra. Tandis qu'on dormait, le sorcier nous avait charriés avec le chanquier de l'autre côté de la Gatineau. Oui, parole de Jos Violon! c'était pas croyable, mais ça y était.

— Je vous le disais ben, que le maudit Brindamour m'avait ensorcelé! que fit Coq Pomerleau.

— Si y t'avait ensorcelé tout seul, au moins! que j'y réponds; mais, d'après c'que je peux voir, j'sommes ensorcelés tous les deux.

Coq Pomerleau, lui, qu'avait fêté, c'était pas surprenant qu'y fût un peu dans les pataques; mais moi, qu'est toujours sobre... vous me connaissez.

C'est vrai que je défouis pas devant une petite beluette de temps en temps pour m'éclaircir le verbe, surtout quand j'ai une histoire à conter ou ben une chanson de cage à cramper sur l'aviron; mais, parole de voyageur, vous pouvez aller demander partout où c'que j'ai roulé, et je veux que me première menterie m'étouffe si vous rencontrez tant seulement un siffleux pour vous dire qu'on a jamais vu Jos Violon autrement que rien qu'ben!

Mais c'était pas tout ci tout ça; ensorcelé ou pas ensorcelé, on pouvait point rester là à se licher les babines dans c'te vieille cambuse qui timbait en bottes[38]; fallait rejoindre les camarades.

— Quand même que le diable nous aurait traversés de l'aut' côté de la rivière, que je dis, ça nous empêche pas de suivre le rivage, ça; on sait toujours ben de queu côté qu'y sont: on va partir!

Et nous v'là partis.

Ça allait petit train, comme vous pensez ben. Mais
— une permission du bon Dieu — devinez de quoi
c'qu'on trouve échoué dans le fond d'une petite
crique? Un beau canot tout flambant neu, avec une
paire d'avirons qu'avaient l'air de nous attendre.

Il était peut-être pas perdu, le canot, mais on le
trouvit tout de même; et on fit pas la bêtise de le
laisser perdre.

Ça fait que nous v'lons à nager du côté du
chanquier. Y avait pas un brin de courant; et, bateau
d'un nom! on filait que, y avait des fois, on aurait dit
que le canot allait tout seul.

Y avait ben une grosse heure qu'on envoyait fort de
c' te façon-là, quand le Coq s'arrête net de nager, et me
dit:

— Mon oncle!

— De quoi? que je réponds.

— Y a pas rien que nous aut' qu'étions ensorcelés.

— Oui? quoi c'que y a encore?

— La rivière est ensorcelée elle étout.

— Tu dis?

— Je dis que la rivière étout, est ensorcelée.

— Comment ça?

— Eh ben, regardez voir: la v'là qui coule en
remontant.

— Hein!...

Aussi vrai comme vous êtes là, les enfants, j'crus
qu'y venait fou; mais à force de faire attention, en
mettant la main dans le courant, en laissant aller le
canot, en fisquant[39] le rivage, y avait pas moyen de se
tromper: la vingueuse de rivière remontait.

Oui, sus mon âme et conscience, a remontait!

C'était la première fois que je voyais ça.

Où c'que ça pouvait nous mener, c'te affaire-là? on
le savait point.

— C'est ben sûr qu'on s'en va dret dans le fond de
l'enfer, que dit Coq Pomerleau; revirons!

— Oui! j'cré ben que c'est mieux de rivirer en effette, que je dis, avant que le courant soye trop fort.

Et je nous mettons à nager sus l'aut' sens, tandis que le Coq Pomerleau marmottait dans ses ouies:

— Le maudit Brindamour! si jamais j'le rejoins, y me paiera ça au sanctus[39]!

— Mais quoi c'qu'on va faire? que je dis; on n'est pas pour retourner crever de faim dans le vieux chanquier.

— Redescendons à Bytown, que fait Coq Pomerleau. J'en ai déjà assez de la vie de voyageur, moi; j'aime mieux la charrue.

— Comme tu voudras, que je dis; je commence à être joliment dégoûté moi étout. Courageons un peu, et j'attraperons Bytown en moins d'une journée, si le diable s'en mêle pas.

Mais y s'en mêlait sûr et certain, parce que le plusse qu'on descendait vers le bas de la rivière, et le plusse que le courant remontait et repoussait dur. Faulait plier les avirons en deux pour avancer.

Y avait-y une plus grande preuve qu'on nous avait jeté un r'sort?

Et dire que je devais ça à ce rôdeux de Coq Pomerleau!

Je me promettais ben de jamais prendre personne en apprentissage, quand on aperçut un canot qui venait au-devant de nous autres. Y venait vite, comme de raison, il avait le courant de son bord, lui.

Comme on allait se rencontrer, j'entendis une voix qui criait:

— C'est-y toi, Jos Violon?

— Oui! que je dis tout surpris.

— Il est-y dessoûlé?

Je vous mens pas, en entendant ça, je lâche mon aviron.

— Le Coq, que je dis, c'est nos gens!

— Comment, nos gens? qui reviennent de Bytown?

— Eh oui! mais pas un mot! Y sont ensorcelés eux autres étout.

C'était ben le cas, allez; on passit l'hiver ensorcelés, tout ce que j'en étions.

Le soleil lui-même était ensorcelé; y savait jamais de queu côté se lever ni se coucher.

Les camarades prenaient ça en riant eux autres, je sais pas trop pourquoi; mais Coq Pomerleau pi moi, j'avions pas envie de rire, une miette!

Aussi, ça fut mon dernier hivernement dans les chanquiers.

Pour tant qu'à Coq Pomerleau, il est allé une fois dans le Saint-Maurice pour rencontrer le grand Christophe Brindamour. Il en est revenu, à ce qu'on dit, avec trois dents de cassées et un œil de moins.

Et cric, crac, cra; sacatabi, sac-à-tabac; son histoire finit d'en par là.

Les Soirées du château de Ramezay, Montréal, Eusèbe Senécal & Cie, imprimeurs-éditeurs, 1900, p. 47-62.

Notes

1 Être sur le point de se décider à (Léandre Bergeron, *Diction-naire de la langue québécoise*, 1981, p 169).

2 C'est-à-dire dans les chantiers pour l'hiver.

3 Garnement.

4 Région située au nord de Québec, reconnue pour la diversification de son industrie et le dynamisme de ses hommes d'affaires. (Voir *Noms et lieux du Québec. Dictionnaire illustré*, p. 48.) Depuis 1847, sans doute, année d'une grave épidémie dont parle Pierre-Joseph-Olivier Chauveau dans son roman *Charles Guérin*, publié en 1853 et Madeleine Ouellette-Michalska dans *L'été de l'île de Grâce*, publié en 1992.

5 Sans doute la première épidémie en 1834.

6 Les dernières paroles du «Notre Père» en latin.

7 Lui tenir tête, le concurrencer.

8 Mettre le bon mot, la fioriture.

9 «Bottes avec semelles et talons par opposition à bottes sauvages qui n'ont ni semelles rapportées ni talons.» (Léandre Bergeron, *Dictionnaire de la langue québécoise*, 1981, p. 300.)

10 Briquet.

11 Effronté. (Léandre Bergeron, *Dictionnaire de la langue québécoise*, 1981, p. 136.)

12 Généreux, brave garçon. (Léandre Bergeron, *Dictionnaire de la langue québécoise*, 1981, p. 98.)

13 Noms de bateaux qui naviguaient sur le Saint-Laurent, entre Québec et Montréal.

14 Aussi *touisse*. Le tour.

15 Chique de tabac.

16 Limites.

17 Chique de tabac.

18 Saint-François-Xavier-de-Batiscan. Municipalité de la région trifluvienne. Selon le Père Charles Arnaud, Batiscan est un nom montagnais qui signifie *vapeur, nuée légère*, le phénomène de la brume étant souvent remarqué à l'embouchure de la rivière du même nom. Selon le religieux, ce mot pourrait vouloir dire *viande séchée pulvérisée*, utilisée dans le pémican (aussi écrit pemmican), un mets amérindien. D'autres explications ont été avancées. Pierre-Georges Roy prétend que Batiscan signifie *qui a des joncs à son embouchure*. (Voir *Noms et lieux du Québec. Dictionnaire illustré*, p. 46.)

19 Le bon à rien.

20 Parler plus haut qu'il ne faut, avec volubilité.

21 Saint-Jacques-les-Piles. Municipalité érigée sur une falaise qui

donne sur le Saint-Maurice au nord de la ville de Grand-Mère, en Mauricie. (Voir *Noms et lieux du Québec. Dictionnaire illustré*, p. 251, article «Grandes-Piles».)

22 Les Forges du Saint-Maurice. Première sidérurgie au Canada. Sur cette importante industrie, on consultera Roch Samson, *Les Forges du Saint-Maurice. Le début de l'industrie sidérurgique au Canada, 1730-1883*, Sainte-Foy, Les Presses de l'Université Laval, 1998, 460 p. Ill.

23 Jos Violon a déjà parlé du gueulard du Saint-Maurice, des jacks mistigris et du Mont-à-l'Oiseau dans un autre conte, «Tipite Vallerand». (Voir ce conte, p. 1-11.)

24 Métamorphoser.

25 Ribambelle.

26 Coup de vent, rafale, orage de courte durée. (Léandre Bergeron, *Dictionnaire de la langue québécoise*, 1981, p. 468.)

27 Répondre faraud, c'est-à-dire, probablement, répondre sans difficulté, avec entrain, sans se laisser prier.

28 Invectives.

29 Avoir le diable bleu (sans trait d'union) dans le pignon, c'est-à-dire être mélancolique, jongleur par opposition à avoir le diable rose, c'est-à-dire être joyeux.

30 Songeur.

31 Ancien nom d'Ottawa, ville devenue, en 1867, la capitale du Canada et le siège du Parlement.

32 Aller chercher, atteindre quelque chose avec effort.

33 Voir «Tipite Vallerand», note 1, p. 12.

34 Une cuite.

35 Boire avec excès.

36 Chanson traditionnelle intitulée «C'est l'aviron qui nous mène». Jos Violon, comme il est son habitude, modifie les paroles. On devrait lire: «C'est l'aviron qui nous mène, qui nous mène. C'est l'aviron qui nous mène en haut».

37 Ficher.

38 En ruines.

39 Fixant.

40 Pour *au centuple*, selon la parole de l'Évangile.

LE DIABLE DES FORGES

HISTOIRE DE CHANTIERS

C'était la veille de Noël 1849.

Ce soir-là, la *veillée de contes* avait lieu chez le père Jacques Jobin, un bon vieux qui aimait la jeunesse, et qui avait voulu faire plaisir aux jeunes gens de son canton, et aux moutards du voisinage — dont je faisais partie — en nous invitant à venir écouter le conteur à la mode, c'est-à-dire Jos Violon.

Celui-ci, qui ne se faisait jamais prier, prit la parole de suite, et avec son assurance ordinaire lança, pour obtenir le silence, la formule sacramentelle:

— Cric, crac, les enfants! Parli, parlo, parlons!... Pour en savoir le court et le long, passez le crachoir à Jos Violon! Sacatabi, sac-à-tabac, à la porte les ceuses qu'écouteront pas!...

Et, le silence obtenu, le conteur entra en matière:

— C'était donc pour vous dire, les enfants, que si Jos Violon avait un conseil à vous donner, ça serait de vous faire aller les argots[1] tant que vous voudrez dans le cours de la semaine, mais de jamais danser sus le dimanche ni pour or ni pour argent. Si vous voulez savoir pourquoi, écoutez c'que je m'en vas vous raconter.

C'te année-là, parlant par respect, je m'étions engagé avec Fifi Labranche[2], le jouor de violon, pour aller faire du bois carré sus le Saint-Maurice, avec une gang de par en-haut ramassée par un foreman des Praîce[3] nommé Bob Nesbitt; un Irlandais qu'était point du bois de calvaire plusse qu'un autre, j'cré ben, mais qui pouvait pas, à ce qu'y disait du moins, sentir un menteur en dedans de quarante arpents. La moindre petite menterie, quand c'était pas lui qui la faisait, y mettait le feu sus le corps. Et vous allez voir que c'était pas pour rire: Jos Violon en sait queuque chose pour en avoir perdu sa fortune faite.

À part moi pi Fifi Labranche qu'étions de la Pointe-Lévis[4], les autres étaient de Saint-Pierre les Baquets[5], de Sainte-Anne la Parade[6], du Cap-la-Madeleine[7], de la Pointe du Lac[8], du diable au Vert[9]. C'était Tigusse Beaudoin, Bram Couture, Pit Jalbert, Ustache Barjeon, le grand Zèbe Roberge, Toine Gervais, Lésime Potvin, exétéra.

Tous des gens comme y faut, assez tranquilles, quoique y en eût pas un seul d'eux autres qu'avait les ouvertures condamnées, quand y s'agissait de s'emplir. Mais un petit arrosage d'estomac, c'pas, avant de partir pour aller passer six mois de lard salé pi de soupe aux pois, c'est ben pardonnable.

On devait tous se rejoindre aux Trois-Rivières. Comme de raison, ceux qui furent les premiers rendus trouvirent que c'était pas la peine de perdre leux temps à se faire tourner les pouces, et ça leur prit pas quinze jours pour appareiller une petite partie de gigoteuse[10].

Quand ils eurent siroté chacun une couple de cerises, Fifi tirit son archet, et v'là le fun commencé, surtout pour les aubergistes, qui se lichaient les badigoinces[11] en voyant sauter les verres sus les comptoirs et les chemises rouges dans le milieu de la place. Ça dansait, les enfants, jusque sus les parapelles[12]!

Moi, je vous dirai ben, je regârdais faire. La boisson, vous savez, Jos Violon est pas un homme pour cracher dedans, non: mais c'est pas à cause que c'est moi: sus le voyage comme sus le chanquier, dans le chanquier comme à la maison, on m'en voit jamais prendre plus souvent qu'à mon tour. Et pi, comme j'sus pas fort non plus sus la danse quand y a pas de créatures, je rôdais; et en rôdant je watchais[13].

Je watchais surtout deux véreux de sauvages qu'avaient l'air de manigancer queuque frime[14] avec not' foreman. Je les avais vus qui y montraient comme manière de petits cailloux jaunes gros comme rien, mais que Bob Nesbitt regârdait, lui, avec des yeux grands comme des montres.

— Cachez ça! qu'y leux disait; et parlez-en pas à personne. Y vous mettraient en prison. C'est des choses défendues par le gouvernement.

Ç'avait l'air drôle, c'pas; mais c'était pas de mes affaires; je les laissis débrouiller leux micmac[15] ensemble; et je m'en allais rejoindre les danseux, quand je vis ressoude le foreman par derrière moi.

— Jos Violon, qu'y me dit en cachette, c'est demain samedi; tout not' monde seront arrivés; occupez-vous pas de moi. Je prends les devants pour aller à la chasse avec des sauvages. Comme t'es ben correct, toi, j'te laisse le commandement de la gang. Vous partirez dimanche au matin, et vous me rejoindrez à la tête du portage de la Cuisse. Tu sais où c'est que c'est?

— Le portage de la Cuisse? je connais ça comme ma blague.

— Bon! mais attention! les gaillards sont un petit brin mèchés[16], faudrait point que personne d'eux autres se laissît dégrader. Si y en a un qui manque, je m'en prendrai à toi, entends-tu! Vous serez dix-huit, juste. Pour pas en laisser en chemin, à chaque embarquement et chaque débarquement, compte-les. Ça y est-y?

— Ça y est! que je dis.

— Je peux me fier à toi?

— Comme à Monseigneur.

— Eh ben, c'est correct, À lundi au soir, comme ça; au portage de la Cuisse!

— À lundi au soir, et bonne chasse!

Je disais bonne chasse, comme de raison, mais je gobais pas c'te rubrique-là, vous comprenez. Comme il se parlait gros de mines d'or, depuis un bout de temps dans les environs du Saint-Maurice, je me doutais ben de quelle espèce de gibier les trois sournois partaient pour aller chasser.

Mais n'importe! comme je viens de vous le dire, c'était pas de mes affaires, c'pas; le matin arrivé, je les laissis partir et je m'occupis de mes hommes, qu'étaient pas encore trop soûls, malgré la nuite qu'ils venaient de passer.

Quand je leur-z-eu appris le départ du boss, ça fut un cri de joie à la lime.

— Batêche! qu'ils dirent, ça c'est coq! Y en a encore deux à venir: sitôt qu'y seront arrivés, on partira: faut aller danser aux Forges[17] à soir!

— C'est faite! que dit Fifi Labranche; je connais ça les Forges; c'est là qu'y en a de la créature qui se métine!

— Je vous en parle! que dit Tigusse Beaudoin; des moules à jupes qui sont pas piquées des vers, c'est moi qui vous le dis.

— Eh ben, allons-y! que dirent les autres.

Ça fut rien qu'un cri:

— Hourra, les boys! Allons danser aux Forges!

Les Forges du Saint-Maurice, les enfants, c'est pas le perron de l'église. C'est plutôt le nique du diable avec tous ses petits: mais comme j'étions pas partis pour faire une retraite, je leur dis:

— C'est ben correct, d'abord que tout le monde y seront.

Comme de faite, aussitôt que les deux derniers de la gang furent arrivés, on perdit pas de temps, et v'là tout not' monde dans les canots, l'aviron au bout du bras.

— Attendez, attendez, que je dis; on y est-y toutes, d'abord? Je veux pas laisser personne par derrière moi; faut se compter.

— C'est pas malaisé, que dit Fifi Labranche, de se compter. C'est dix-huit qu'on est, c'pas? Et ben, j'avons trois canots; on est six par canot; trois fois six font dix-huit, manquable!

Je regardis voir: c'était ben correct.

— Pour lorsse, filons! que je dis.

Et nous v'lons à nager en chantant comme des rossignols:

La zigonnette, ma dondaine!
La zigonnette, ma dondé![18]

Comme de raison, faulait ben s'arrêter de temps en temps pour se cracher dans les mains, c'pas; et pi comme j'avions toute la gorge ben trop chesse pour ça, on se passait le gouleron[19] à tour de rôle. Chaque canot avait sa cruche, et je vous persuade, les enfants, que la demoiselle se faisait prendre la taille plus souvent qu'une religieuse! c'est tout ce que j'ai à vous dire.

Ça les empêchait pas non plus, tout en marchant m'a dire comme on dit, à pas carrés, ça les empêchait pas d'être joliment ronds, tout ce qu'ils en étaient.

Ça les empêchait pas non plus, tout en marchant croche, de se rendre ben dret chux le père Carillon, un vieux qui tenait auberge presque en face de la grand'Forge.

Faulait ben commercer par se rafraîchir un petit brin, en se rinçant le dalot, c'pas.

Justement, y avait là un set de jeunesse à qui c'qu'y manquait rien qu'un jouor de violon pour se dégourdir les orteils. Et, comme Fifi Labranche avait pas oublié son ustensile, je vous garantis qu'on fut reçus comme la m'lasse en carême[20].

Y avait pas cinq minutes qu'on était arrivés, que tout le monde était déjà parti sur les gigues simples, les reels à quatre, les cotillons, les voleuses, pi le harlapattes[21]. Ça frottait, les enfants, que les semelles en faisaient du feu, et que les jupes de droguet pi les câlines en frisaient, je vous mens pas, comme des flammèches.

Faut pas demander si le temps passait vite.

Enfin, v'là que les mênuit arrivent, et le dimanche avec, comme de raison; c'est la mode partout, le samedi au soir.

— Voyons voir, les jeunesses, que dit la mère Carillon, c'est assez! On est tous des chréquins, pas de virvâle[22] le dimanche! Quand on danse le dimanche d'enne maison, le méchant Esprit est sus la couverture.

— Tais-toi la vieille! que fit le père Carillon, ton vieux Charlot a ben trop d'autre chose à faire que de s'occuper de ça. Laisse porter, va! Souviens-toi de ton jeune temps. C'est pas toi qui relevais le nez devant un petit rigodon le dimanche. Écoutez-la pas, vous autres; sautez, allez!

— Eh ben, tant pire; puisque c'est comme ça, que le bon Dieu soit béni! Arrive qui plante, je m'en mêle pus! que fit la vieille en s'en allant.

— C'est ça, va te coucher, que dit le père Carillon.

Jos Violon est pas un cheniqueux, ni un bigot, vous me connaissez; eh ben, sans mentir, j'avais quasiment envie d'en faire autant, parce que j'ai jamais aimé à interboliser[23] la religion, moi. Mais j'avais à watcher ma gang, c'pas: je m'en fus m'assire sus un banc, d'un coin, et j'me mis à fumer ma pipe tout seul, en jonglant, sans m'apercevoir que je cognais des clous en accordant sus le violon de Fifi Labranche.

Je me disais en moi-même:

— Y vont se fatiguer à la fin, et je ferons un somme.

Mais bougez pas: le plusse qu'on avançait sus le dimanche, et le plusse que les danseux pi les danseuses se trémoussaient la corporation dans le milieu de la place.

— Vous dansez donc pas, vous? que dit en
s'approchant de moi une petite créature qui m'avait
déjà pas mal reluqué depuis le commencement de la
veillée.

— J'aime pas à danser sus le dimanche, mamzelle,
que je répondis.

— Quins! en v'là des escrupules, par exemple!
Jamais je crairai ça... Un homme comme vous!...

En disant «un homme comme vous», les enfants,
c'est pas à cause que c'est moi, mais la chatte me
lance une paire de z'yeux... tenez... Mais j'en dis pas
plus long. La boufresse[24] s'appelait Célanire Sarrazin:
une bouche! une taille! des joues comme des pommes
fameuses, et pi avec ça croustillante, un vrai frisson...
Mais, encore une fois, j'en dis pas plusse.

J'aurais ben voulu résister; mais le petit serpent
me prend par le bras en disant:

— Voyons, faites pas l'habitant, monsieur Jos;
venez danser ce cotillon-là avec moi!

Faulait ben céder, c'pas; et nous v'là partis.

J'ai jamais tricoté comme ça de ma vie, les enfants.

La petite Célanire, je vous mens pas, sprignait[25] au
plancher de haut comme une sauterelle; pour tant
qu'à moi, je voyais pus clair.

Ça fut comme si j'avais perdu connaissance; parce
que, pour la mort ou pour la vie, les enfants, encore au
jour d'aujourd'hui je pourrais pas vous dire comment
est-ce que je regagnis mon banc, et que je m'endormis
en fumant mon bougon.

Ça durit pas longtemps, par exemple, à ce que je
pus voir. Tout d'un coup ma nom de gueuse de pipe
m'échappe des dents, et je me réveille...

Bon sang de mon âme! je me crus ensorcelé!

Pus de violon, pus de danse, pus d'éclats de rire,
pas un chat dans l'appartement!

— V'là une torrieuse d'histoire! que je dis; où c'qui
sont gagnés[26].

J'étais à me demander queu bord prendre, lorsque
je vis ressoudre la mère Carillon, le visage tout

égarouillé[27], et la tête comme une botte de pesat au bout d'une fourche.

— Père Jos, qu'a dit, y a rien que vous de sage dans toute c'te boutique icitte. Pour l'amour des saints, venez à not' secours, ou ben je sommes tous perdus!

— De quoi t'est-ce que y a donc, la petite mère? que je dis.

— Le méchant Esprit est dans les Forges, père Jos!

— Le méchant Esprit est dans les Forges?

— Oui, la Louise à Quiennon Michel l'a vu tout à clair comme je vous vois là. V'là ce que c'est que de danser sus le dimanche!

— De quoi t'est-ce qu'elle a vu, la Louise à Quiennon Michel?

— Le démon des Forges, ni plus ni moins; vous savez ce que c'est. Elle était sortie, c'pas, pour rentrer sa capine qu'elle avait oubliée sur la clôture, quand elle entend brimbaler[28] le gros marteau de la Forge qui cognait, qui cognait comme en plein cœur de semaine. A regarde: la grand'cheminée flambait tout rouge en lançant des paquets d'étincelles. A s'approche: la porte était toute grande ouverte, éclairée comme en plein jour, tandis que la Forge menait un saccage d'enfer que tout en tremblait. On n'entendait pas tout ça, nous autres, comme de raison: les danseux faisaient ben trop de train. Mais la danse s'est arrêtée vite, je vous le garantis, quand la Louise est entrée presque sans connaissance, en disant: «Chut, chut! pour l'amour du ciel; le diable est dans les Forges, sauvons-nous!» Comme de raison, v'là tout le monde dehors. Mais, ouicht!... pus rien de rien! La porte de la Forge était fermée; pus une graine de flambe dans la cheminée. Tout était tranquille comme les autres samedis au soir. C'est ben la preuve, c'pas, que ce que la Louise a vu, c'est ben le Méchant qu'était après forger queuque maréfice d'enfer contre nos danseux...

C'était ben ce que je me disais, en sacrant en moi-même contre c'te vingueuse de Célanire. Mais, Jos

Violon a pas l'habitude — vous me connaissez — de canner[29] devant la bouillie qui renverse, je me frottis les yeux, je me fis servir un petit coup, je cassis une torquette en deux, et je sortis de l'auberge en disant:

— J'allons aller voir ça!

Je fus pas loin: mes hommes s'en revenaient. Et vous me crairez si vous voulez, les enfants, le plus extrédinaire de toute l'affaire, c'est qu'y avait pas gros comme ça de la lumière neune part. Tout était noir comme dans le fond d'un four, noir comme chez le loup!

Oui, les enfants, Jos Violon est encore plein de vie; eh ben, je vous le persuade, j'ai vu ça, moi; j'ai vu ça de mes yeux! C'est-à-dire que j'ai rien vu en toute, vu qui faisait trop noir.

On l'avait paru belle, allez! À preuve que, quand on fut rentrés dans la maison, on commencit toutes à se regarder avec des visages de trente-six pieds de long; et que Fifi Labranche mit son violon dans sa boîte en disant:

— Couchons-nous!

Vous savez comment c'qu'on se couche dans le voyage, c'pas? Faudrait pas vous imaginer qu'on se perlasse le canayen sus des lits de pleume, non! On met son gilet de corps plié en quatre sur une quarquier de bois; ça fait pour le traversin. Pour la paillasse on choisit un madrier du plancher où c'que y a pas trop de nœuds, et pi on s'élonge le gabareau[30] dessus. Pas pus de cérémonie que ça!

— T'as raison, Fifi, couchons-nous! que dirent les autres.

— Attendez voir, que je dis à mon tour; c'est ben correct, mais vous vous coucherez toujours point avant que je vous aie comptés.

Je me souvenais de ce que le foreman m'avait recommandé, c'pas. Pour lorsse que je les fais mettre en rang d'oignons, et pi je compte:

— Un, deux, trois, quatre... dix-sept! Rien que dix-sept!

— Je me suis trompé, que je dis.

Et je recommence:

— Un, deux, trois, quatre... dix-sept! Toujours dix-sept!... Batêche, y a du crime là-dedans! que je dis. Y m'en manque un!... En faut dix-huit; où c'qu'est l'autre?

Motte!

— Qui c'qui manque, là, parmi vous autres?

Pas un mot!

— C'est toujours pas toi, Fifi?

— Ben sûr que non!

— C'est pas toi, Bram?

— Non.

— Pit' Jalbert?

— Me v'là!

— Ustache Barjeon?

— Ça y est.

— Toine Gervais?

— Icitte

— Zèbe étout?

— Oui.

Y étaient toutes.

Je recommence à compter.

Dix-sept! comme la première fois.

— Y a du r'sort! que je dis. Mais il ne manque toujours un, sûr. On peut pas se coucher comme ça , faut le sarcher. Y a pas à dire «Catherine», le boss badine pas avec ces affaires-là: me faut mes dix-huit!

— Sarchons! que dit Fifi Labranche; si le diable des Forges l'a pas emporté, on le trouvera, ou ben y aura des confitures dans la soupe!

— Si on savait qui c'est que c'est au moins! que dit Bram Couture, on pourrait l'appeler.

— C'est pourtant vrai, que dit Toine Gervais, qu'il en manque un, et pi qu'on sait pas qui c'est que c'est.

C'était ben ce qui me chicotait le plusse, vous comprenez; on pouvait pas avoir de meilleure preuve que le diable s'en mêlait.

N'importe! on sarchit, mes amis; on sarchit sour les bancs, sour les tables, sour les lits, dans le grenier, dans la cave, sour les ravallements, derrière les cordes de bois, dans les bâtiments, jusque dans le puits...

Personne!

On sarchit comme ça, jusqu'au petit jour. À la fin, v'là les camarades tannés.

— Il est temps d'embarquer, qu'y disent. Laissons-lé! Si le flandrin est dégradé, ça sera tant pire pour lui. Il avait tout embelle de rester avec les autres...

Aux canots!

— Aux canots, aux canots!

Et les v'lont qui dégringolent du côté de la rivière.

Je les suivais, bien piteux, comme de raison. De quoi c'que j'allais pouvoir dire au boss? N'importe, je fais comme les autres, je prends mon aviron, et, à la grâce du bon Dieu, j'embarque.

— Tout le monde est paré? Eh ben, en avant, nos gens!

— Mais, père Jos, que dit Ustache Barjeon, on y est toutes!

— On y est toutes?

— Bien sûr! Comptez: on est six par canot; trois fois six font dix-huit!

— C'est bon Dieu vrai! que fit Fifi Labranche, comment c'que ça peut se faire?

Aussi vrai que vous êtes là, les enfants, je comptis au moins vingt fois de suite; et y avait pas à berlander[31], on était ben six par canot, c'qui faisait not' compte juste.

J'étais ben content d'avoir mon nombre, vous comprenez; mais c'était un tour du Malin, allez, y avait pas à dire; parce qu'on eut beau se recompter, se nommer, se tâter chacun son tour, pas moyen de découvrir qui c'est qu'avait manqué.

Ça marchit comme ça jusqu'au lendemain dans l'après-midi. Toujours six par canot: trois fois six, dix-huit! Jusqu'à tant qu'on eut atteint le rapide de la

Cuisse, là où c'qu'on devait faire portage pour rejoindre Bob Nesbitt, on fut au complet.

En débarquant à terre, comme de raison, ça nous encouragit à faire une couple de tours à la cruche. Et pi, quand on a nagé en malcenaire[32] toute une sainte journée de temps, ça fait pas de mal de se mettre queuque chose dans le collet, avant de se plier le dos sous les canots, ou de se passer la tête dans les bricoles[33].

Ça fait que, quand on eut les intérieurs ben arrimés, je dis aux camarades:

— À c'te heure, les amis, avant qu'on rejoigne le boss, y s'agit de se compter pour la dernière fois.

Mettez-vous en rang, et faut pas se tromper, c'te fois-citte.

Et pi, je commence ben lentement, en touchant chaque homme du bout de mon doigt.

— Un! deux! trois! quatre! cinq! six! sept! huit!... Dix-sept!...

Les bras me timbent.

Encore rien que dix-sept!

Sus ma place dans le paradis, les enfants, encore au jour d'aujourd'hui, je peux vous faire sarment devant un échafaud que je m'étais pas trompé. C'était ni plus ni moins qu'un mystère, et le diable m'en voulait, sûr et certain, rapport à c'te vlimeuse de Célanire!

— Mais qui c'qui manque donc? qu'on se demandait en se regardant tout ébarouis.

Ma conscience du bon Dieu, les enfants, j'avais déjà vu ben des choses embrouillées dans les chantiers; eh ben, c'te affaire-là, ça me surpassait.

Comment me montrer devant le foreman avec un homme de moins, sans tant seurement pouvoir dire lequel est-ce qui manquait? C'était ben le moyen de me faire inonder de bêtises.

N'importe! comme dit M. le curé, on pouvait toujours pas rester là, c't pas; fallait avancer.

On se mettit donc en route au travers du bois, et dans des chemins, sous vot' respec', qu'étaient pas faits pour agrémenter la conversation, je vous le persuade!

À chaque détour, j'avais quasiment peur d'en perdre encore queuqu'un.

Toujours que, de maille et de corde[34], et de peine et de misère, grâce aux cruches qu'on se passait de temps en temps d'une main à l'autre, on finit par arriver.

Bob Nesbitt nous attendait assis sus une souche.

— C'est vous autres? qu'y dit.

— À pu près! que je réponds.

— Comment, à pu près? Vous y êtes pas toutes?

Vous vous imaginez ben, les enfants, que j'avais la façon courte; mais c'était pas la peine de mentir, c'pas; d'autant que Bob Nesbitt, comme je l'ai dit en commençant, entendait pas qu'on jouît du violon sus c'te chanterelle-là. Je pris mon courage à brassée, et je dis:

— Ma grand'conscience, c'est pas de ma faute, monsieur Bob, mais... y nous en manque un.

— Il en manque un? Où c'que vous l'avez sumé?

— On... sait pas.

— Qui c'est qui manque?

— On... le sait pas non plus.

— Vous êtes soûls, que dit le boss; je t'avais-t'y pas recommandé, à toi, grand flanc de Jos Violon, de toujours les compter en embarquant et en débarquant?

— Je les ai comptés, peut-être ben vingt fois, monsieur Bob.

— Eh ben?

— Eh ben, de temps en temps, y en avait dix-huit, et de temps en temps y en avait rien que dix-sept.

— Quoi c'que tu ramanches là?

— C'est la pure vérité, monsieur Bob; demandez-leux?

— La main dans le feu! que dirent tous les hommes depuis le plus grand jusqu'au plus petit.

— Vous êtes tous pleins comme des barriques! que dit le foreman. Rangez-vous de file que je vous compte moi-même. On verra bien ce qu'en est.

Comme de raison, on se fit pas prier; nous v'lons toutes en ligne, et Bob Nesbitt commence à compter:

— Un! deux! trois! quatre!... Exétéra... Dix-huit! qu'y dit. Où c'est ça qu'il en manque un? Vous savez donc pas compter jusqu'à dix-huit, vous autres? Je vous le disais ben que vous êtes tous soûls!... Allons, vite! faites du feu et préparez la cambuse, j'ai faim!

Le sour-lendemain au soir, j'étions rendus au chanquier, là où c'qu'on devait passer l'hiver.

Avant de se coucher, le boss me prend par le bras, et m'emmène derrière la campe.

— Jos, qu'y me dit, t'as coutume d'être plus correct que ça.

— Quoi c'que y a, monsieur Bob?

— Pourquoi t'est-ce que tu m'as fait c'te menterie-là, avant z'hier?

— Queue menterie?

— Fais donc pas l'innocent! À propos de cet homme qui manquait... Tu sais ben que j'aime pas à être blagué comme ça, moi.

— Ma grand'conscience... que je dis.

— Tet! tet! tet!... Recommence pas!

— Je vous jure, monsieur Bob.

— Jure pas, ça sera pire.

J'eus beau me défendre, ostiner[35], me débattre de mon mieux, le véreux d'Irlandais voulut pas m'écouter.

— J'avais une bonne affaire pour toi, Jos, qu'y dit, une job un peu rare, mais puisque c'est comme ça, ça sera pour un autre.

Comme de faite, les enfants, aussitôt son engagement fini, Bob Nesbitt nous dit bonsoir et repartit tout de suite pour le Saint-Maurice avec un autre Irlandais.

Quoi c'qu'il allait faire là? On sut plus tard que le chanceux avait trouvé une mine d'or dans les crans de l'île aux Corneilles.

À l'heure qu'il est, Bob Nesbitt est queuque part dans l'Amérique, à rouler carrosse avec son associé; et

Jos Violon, lui, mourra dans sa chemise de voyageur, avec juste de quoi se faire enterrer, m'a dire comme on dit, suivant les rubriques[36] de not' sainte Mère.

De vot'vie et de vos jours, les enfants, dansez jamais sus le dimanche, ça été mon malheur.

Sans c'te grivoise de Célanire Sarrazin, au jour d'aujourd'hui Jos Violon serait riche foncé.

Et cric, crac, cra!... Sacatabi, sac-à-tabac! Mon histoire finit d'en par là.

L'Almanach du peuple Beauchemin, Montréal, Beauchemin, 35ᵉ année (1904), p. 98-122.

Notes

1 Ergots.

2 Fifi Labranche reviendra dans un autre conte de Jos Violon, «Le Money Musk» (voir p. 77-87).

3 Sans aucun doute les Price, cette richissime famille d'entre-preneurs qui a constitué la compagnie forestière Price Brothers. William, le père, né à Hornsey (Angleterre) en 1789, est surnommé le père du Saguenay. Il est mort à Québec en 1867 après avoir connu une importante carrière dans le commerce et l'exportation du bois d'œuvre. Son fils, William Evans, né en 1827, lui succéda à la présidence de la compagnie. Il fut député libéral conservateur de Chicoutimi-Saguenay à la Chambre des communes (1872-1874) et député conservateur du même comté à l'Assemblée législative (1875-1880). Il est mort en 1880. À son sujet, voir le *Dictionnaire des parlementaires du Québec 1792-1992*, sous la direction de Gaston Deschênes, Sainte-Foy, Les Presses de l'Université Laval, 1993, p. 624. On consultera l'article de Mgr Victor Tremblay, dans le *Dictionnaire biographique du Canada*, t. X: *de 1871 à 1880*, Québec, Les Presses de l'Université Laval, 1972, p. 658-659. Sur son père, William, marchand de bois et manufacturier de madriers (1789-1867), on consultera l'article de Louise Dechêne, dans le *Dictionnaire biographique du Canada*, t. IX: *de 1861 à 1870*, Québec, Les Presses de l'Université Laval, 1977, p. 704-708.

4 Pointe de Lévy et Pointe Lévi (sur les cartes anciennes), située à l'est de la Coste de Lauzon. En nommant ainsi cette partie de la côte, «Champlain voulait honorer Henri de Lévis ou Lévy, duc de Ventadour, vice-roi de la Nouvelle-France de 1625 à 1627». C'est «une pointe qui s'avance dans le fleuve Saint-Laurent, vis-à-vis de la ville de Québec, sur la rive sud à Lévis.» (*Noms et lieux du Québec. Dictionnaire illustré*, p. 382.)

5 Saint-Pierre-les-Becquets. Municipalité érigée sur la rive sud du fleuve Saint-Laurent, «à une vingtaine de kilomètres au nord-est de Bécancour, dans la région administrative de la Mauricie–Bois–Francs. En 1672, l'intendant Talon concède à Romain Becquet, notaire, né vers 1640 et dont le patronyme évoque un brochet à bec pointu, une seigneurie qui portera les noms de seigneuries des Becquets, de Saint-Pierre-les-Becquets et Lévrard [...] Outre le sens évoqué plus haut, Becquet(s) peut évoquer un petit ruisseau car en Normandie, le mot d'origine norroise *bec* signifie *ruisseau*. Or Romain Becquet est originaire de Bec ou Becq, près de Rouen. Ainsi Les Becquets pourrait signifier *les petits ruisseaux*.» (*Noms et lieux du Québec. Dictionnaire illustré*, p. 717.)

6 Sainte-Anne-de-la-Pérade. Voir «Tipite Vallerand», p. 14, note 24.

7 Cap-de-la-Madeleine. Ville située à proximité de Trois-Rivières, célèbre par son sanctuaire dédié à Notre-Dame-du-Cap. «Institué dans la seconde moitié du XIXe siècle, ce lieu de pèlerinage demeure l'un des plus importants en Amérique du Nord et justifie le surnom de Cité mariale attribué à Cap-de-la-Madeleine.» (*Noms et lieux du Québec. Dictionnaire illustré*, p. 105.)

8 Pointe-du-lac. Municipalité située à une dizaine de kilomètres de Trois-Rivières et à une vingtaine de Louiseville. «L'appellation descriptive évoque une pointe sablonneuse qui donne sur l'extrémité nord-est du lac Saint-Pierre et sur laquelle la municipalité est construite.» (*Noms et lieux du Québec. Dictionnaire illustré*, p. 542.)

9 À diable vauvert.

10 Gigoteuse (partie de). Peut-être se préparer à une danse.

11 Se lécher les badigoinces. Vieux, familier. Se lécher les lèvres, les babines. (*Cf.* Paul Robert, *Dictionnaire alphabétique et analogique de la langue française*, t. I, Paris, 1985, p. 800.)

12 Trottoirs, selon Léandre Bergeron, *Dictionnaire de la langue québécoise*, 1981, p. 353.

13 Surveillais.

14 Tour, feinte.

15 Désordre.

16 Éméchés.

17 Voir «Coq Pomerleau», note 22, p. 46.

18 Refrain que l'on retrouve dans plusieurs chansons traditionnelles et dans plusieurs vieilles chansons, selon Conrad Laforte, spécialiste de la chanson.

19 Goulot.

20 Être reçu comme la m'lasse en carême. Arriver comme mars (comme marée) en carême, c'est-à-dire arriver à propos, au bon moment. (*Cf.* Bruno Lafleur, *Dictionnaire des locutions idiomatiques françaises*, Montréal, Éditions du Renouveau pédagogique inc., 1979, p. 86.)

21 Différentes sortes de danses.

22 Sans doute tourner, virvolter.

23 Déranger.

24 Bougresse.

25 Sautait.

26 Allés.

27 Hagard.

28 Frapper, cogner.

29 Donner des coups de canne.

30 Garnement.

31 Tergiverser.
32 Mercenaire.
33 Bretelles.
34 De maille en corde.
35 Obstiner, discuter.
36 Suivant les rubriques de not' sainte Mère, c'est-à-dire suivant les rites de notre Mère la sainte Église.

TITANGE

Ça c'est un vrai conte de Noël, si y en a un! dit le vieux Jean Bilodeau. Vous en auriez pas encore un à nous conter, Jos? Vous avez le temps d'icitte à la messe de Mênuit.

— C'est-ça, encore un, père Jos! dit Phémie Boisvert. Vous en sauriez pas un sus la Chasse-galerie, c'te machine dont vous venez de parler?

— Bravo! s'écria tout le monde à la ronde, un conte de Noël sus la Chasse-galerie!

Jos Violon ne se faisait jamais prier.

— Ça y est, dit-il. Cric, crac, les enfants... Parli, parlo, parlons... Et cœtera; et il était entré en matière:

— C'était donc pour vous dire, les enfants, que c't'année-là, j'avions pris un engagement pour aller travailler de la grand'hache, au service du vieux Dawson, qu'avait ouvert un chanquier à l'entrée de la rivière aux Rats, sus le Saint-Maurice, avec une bande de hurlots de Trois-Rivières, où c'qu'on avait mêlé tant seurement trois ou quatre chréquins de par en-bas.

Quoique les voyageurs de Trois-Rivières soient un set un peu roffe[1], comme vous verrez tout à l'heure, on passit pas encore un trop mauvais hiver, grâce à une avarie qu'arriva à un de nous autres, la veille de Noël au soir, et que je m'en vas vous raconter.

Comme pour équarrir, vous savez, y faut une grand'hache avec un piqueux, le boss m'avait accouplé avec une espèce de galvaudeux[2] que les camarades appelaient — vous avez qu'à voir! — jamais autrement que Titange.

Titange! c'est pas là, vous allez me dire, un surbroquet ben commun dans les chantiers. J'sut avec vous autres; mais enfin c'était pas de ma faute, y s'appelait comme ça.

Comment c'que ce nom-là, y était venu?

Y tenait ça de sa mère... avec une paire d'oreilles, mes amis, qu'étaient pas manchottes, je vous le persuade. Deux vraies palettes d'avirons, sus vot' respèque!

Son père, Johnny Morissette, que j'avais connu dans le temps, était un homme de chantier un peu rare pour la solidité des fondations, et quoique d'un sang ben tranquille, un peu fier de son gabareau[3], comme on dit.

Imaginez la grimace que fit le pauvre homme, quand un beau printemps, en arrivant chez eux après son hivernement, sa femme vint y mettre sour le nez une espèce de coquecigrue[4] qu'avait l'air d'un petit beignet sortant de la graisse, en disant: «Embrasse ton garçon!»

— C'est que ça?... que fait Johnny Morissette qui manquit s'étouffer avec sa chique.

— Ça, c'est un petit ange que le bon Dieu nous a envoyé tandis que t'étais dans le bois.

— Un petit ange! que reprend le père; eh ben, vrai là, j'crairais plutôt que c'est un commencement de bonhomme pour faire peur aux oiseaux!

Enfin, y fallait ben le prendre comme il était, c'pas; et Johnny Morissette, qu'aimait à charader, voyait jamais passer un camarade dans la rue sans y crier:

— T'entre pas voir mon p'tit ange?

Ce qui fait, pour piquer au plus court, que tout le monde avait commencé par dire le p'tit ange à Johnny Morissette, et que, quand le bijou eut grandi, on avait fini par l'appeler Titange tout court.

Quand je dis «grandi», faudrait pas vous mettre dans les ouïes, les enfants, que le jeune pût rien montrer en approchant du gabarit de son père. Ah! pour ça, non! Il était venu au monde avorton, et il était resté avorton. C'était un homme manqué, quoi! à l'exception des oreilles.

Et manquablement que ça le chicotait gros, parce que j'ai jamais vu, dans toute ma vie de voyageur, ni sus les cages ni dans les bois, un petit tison d'homme pareil. C'était gros comme rien, et pour se reconsoler, je suppose, ça tempêtait, je vous mens pas, comme vingt-cinq chanquiers à lui tout seul.

À propos de toute comme à propos de rien, il avait toujours la hache au bout du bras, et parlait rien que de tuer, d'assommer, de massacrer, de vous arracher les boyaux et de vous ronger le nez.

Les ceuses qui le connaissaient pas le prenaient pour un démon, comme de raison, et le craignaient comme la peste; mais moi je savais ben qu'il était pas si dangereux que tout ça. Et pi, comme j'étais matché[5] avec, c'pas, fallait ben le prendre en patience. Ce qui fait qu'on était resté assez bons amis, malgré son petit comportement.

On jasait même quèque fois sus l'ouvrage, sans perdre de temps, ben entendu.

Un bon matin — c'était justement la veille de Noël — le v'là qui s'arrête tout d'un coup de piquer, et qui me fisque dret entre les deux yeux, comme quèqu'un qu'a quèque chose de ben suspèque à lâcher.

Je m'arrête étout moi, et pi j'le regârde.

— Père Jos! qu'y me dit en reluquant autour de lui.

— Quoi c'que y a, Titange?

— Êtes-vous un homme secret, vous?

— M'as-tu jamais vu bavasser? que je réponds.

— Non, mais je voudrais savoir si on peut se fier à votre indiscrétion.

— Dame, c'est selon, ça.

— Comment, c'est selon?

— C'est-à-dire que s'il s'agit pas de faire un mauvais coup...

— Y a pas de mauvais coup là-dedans, y s'agit tant seurement d'aller faire un petit spree[6] à soir chez le bom' Câlice Doucet de la Banlieue.

— Queue banlieue?

— La banlieue de Trois-Rivières, donc. C'est un beau jouor de violon que le bom' Câlice Doucet; et pi les aveilles de Noël, comme ça, y a toujours une trâlée de créatures qui se rassemblent là pour danser.

— Mais aller danser à la banlieue de Trois-Rivières à soir! Quatre-vingts lieues au travers des bois, sans chemins ni voitures... viens-tu fou?

— J'avons pas besoin de chemins ni de voitures.

— Comment ça? T'imagines-tu qu'on peut voyager comme des oiseaux?

— On peut voyager ben mieux que des oiseaux, père Jos.

— Par-dessus les bois pi les montagnes?

— Par-dessus n'importe quoi.

— J'te comprends pas!

— Père Jos, qu'y dit en regardant encore tout autour de nous autres pour voir si j'étions ben seux, vous avez donc pas entendu parler de la chasse-galerie, vous?

— Si fait.

— Eh ben...?

— Eh ben, t'as pas envie de courir la chasse-galerie, je suppose!

— Pourquoi pas? qu'y dit, on n'est pas des enfants.

Ma grand'conscience! en entendant ça, mes amis, j'eus une souleur[7]. Je sentis, sus vot'respèque, comme une haleine de chaleur qui m'aurait passé devant la physiolomie. Je baraudais[8] sus mes jambes et le manche de ma grand'hache me fortillait[9] si tellement dans les mains, que je manquis la ligne par deux fois de suite, c'qui m'était pas arrivé de l'automne.

— Mais, Titange, mon vieux, que je dis, t'as donc pas peur du bon Dieu?

— Peur du bon Dieu! que dit le chéti[10] en éclatant de rire. Il est pas par icitte, le bon Dieu. Vous savez pas qu'on l'a mis en cache[11] à la chapelle des Forges[12]?... Par en-bas, je dis pas: mais dans les hauts, quand on a pris ses précautions, d'abord qu'on est ben avec le diable, on est correct.

— Veux-tu te taire, réprouvé! que j'y dis.

— Voyons, faites donc pas l'habitant, père Jos, qu'y reprend. Tenez, je m'en vas vous raconter comment que ça se trime, c't'affaire-là.

Et pi, tout en piquant son plançon[13] comme si de rien n'était, Titange se mit à me défiler tout le marmitage. Une invention du démon, les enfants! Que j'en frémis encore rien que de vous répéter ça.

Faut vous dire que la ville de Trois-Rivières, mes petits cœurs, si c'est une grosse place pour les personnes dévotieuses, c'est ben aussi la place pour les celles qui le sont pas beaucoup. Je connais Sorel[14] dans tous ses racoins; j'ai été au moins vingt fois à Bytown[15], «là où c'qu'y s'ramasse ben de la crasse», comme dit la chanson; eh ben, en fait de païens et de possédés sus tous les rapports, j'ai encore jamais rien vu pour bitter[16] le faubourg des Quat'-Bâtons[17] à Trois-Rivières. C'est, m'a dire comme on dit, hors du commun.

C'que ces flambeaux-là sont capables de faire, écoutez: quand ils partent l'automne, pour aller faire chanquier sus le Saint-Maurice, ils sont ben trop vauriens pour aller à confesse avant de partir, c'pas; eh ben comme ils ont encore un petit brin de peur du bon Dieu, ils le mettent en cache, à ce qu'y disent.

Comment c'qu'y s'y prennent pour c'te opération-là, c'est c'que je m'en vas vous espliquer, les enfants — au moins d'après c'que Titange m'a raconté.

D'abord y se procurent une bouteille de rhum qu'a été remplie à mênuit, le jour des Morts, de la main gauche, par un homme la tête en bas. Ils la cachent comme y faut dans le canot, et rendus aux Forges, y font une estation. C'est là que se manigance[18] le gros de la cérémonie.

La chapelle des Forges a un perron de bois, c'pas; eh ben, quand y fait ben noir, y a un des vacabonds qui lève une planche pendant qu'un autre vide la bouteille dans le trou en disant:

— *Gloria patri, gloria patro, gloria patrum!*

Et l'autre répond en remettant la planche, à sa place:

— *Ceuses qu'ont rien pris, en ont pas trop d'une bouteille de rhum.*

— Après ça, que dit Titange, si on est correct avec Charlot[19], on n'a pas besoin d'avoir peur pour le reste de l'hivernement. Passé la Pointe-aux-Baptêmes, y a pus de bon Dieu, y a pus de saints, y a pus rien! On peut se promener en chasse-galerie tous les soirs si on veut. Le canot file comme une poussière, à des centaines de pieds au-dessus de terre; et d'abord qu'on prononce pas le nom du Christ ni de la Vierge, et qu'on prend garde de s'accrocher sus les croix des églises, on va où c'qu'on veut dans le temps de le dire. On fait des centaines de lieues en criant: Jack!

— Et pi t'as envie de partir sus train-là à soir? que t'y dis.

— Oui, qu'y me répond.

— Et pis tu voudrais m'emmener?

— Exaltement. On est déjà cinq; si vous venez avec nous autres, ça fera six[20]: juste, un à la pince, un au gouvernail, et deux rameurs de chaque côté. Ça peut pas mieux faire. J'ai pensé à vous, père Jos, parce que vous avez du bras, de l'œil pi du spunk[21]. Voyons, dites que oui, et j'allons avoir un fun bleu à soir.

— Et le saint jour de Noël encore!… Y penses-tu? que je dis.

— Quins! c'est rien que pour le *fun*[22]; et le jour de Noël, c'est une journée de *fun*. La veille au soir surtout.

Comme vous devez ben le penser, les enfants, malgré que Jos Violon soye pas un servant de messe du premier limaro[23], rien que d'entendre parler de choses pareilles, ça me faisait grésiller[24] la pelure comme une couenne de lard dans la poêle.

Pourtant, faut vous dire que j'avais ben entendu parler de c'te invention de Satan qu'on appelle la chasse-galerie; que je l'avais même vue passer en plein jour comme je vous l'ai dit, devant l'église de Saint-Jean-Deschaillons[25]; et je vous cacherai pas que j'étais un peu curieux de savoir comment c'que mes guerdins s'y prenaient pour faire manœuvrer c'te machine infernale. Pour dire comme de vrai, j'avais presquement envie de voir ça de mes yeux.

— Eh ben, qu'en dites-vous, père Jos? que fait Titange. Ça y est-y?

— Ma frime, mon vieux, que je dis, dit-il, je dis pas que non. T'es sûr que y a pas de danger?

— Pas plus de danger que sus la main, je réponds de toute!

— Eh ben, j'en serons, que je dis. Quand c'qu'on part?

— Aussitôt que le boss dormira, à neuf heures et demie au plus tard.

— Où ça?

— Vous savez où c'qu'est le grand canot du boss?

— Oui.

— Eh ben, c'est c'ty-là qu'on prend; soyez là à l'heure juste. Une demi-heure après, on sera cheux le bom' Câlice Doucet. Et pi, en avant le *quick step*, le double-double et les ailes de pigeon[26]! Vous allez voir ça, père Jos, si on en dévide une rôdeuse de messe de mênuit, nous autres, les gens de Trois-Rivières…

Et en disant ça, l'insécrable se met à danser sus son plançon un pas d'harlapatte[27] en se faisant claquer les talons, comme s'il avait déjà été dans la milieu de la place cheux le bom' Câlice Doucet, à faire sauter les petites créatures de la banlieue de Trois-Rivières.

Tant qu'à moi, ben loin d'avoir envie de danser, je me sentais grémir de peur.

Mais vous comprenez ben, les enfants, que j'avais mon plan.

Aussi, comme dit M. le curé, je me fis pas attendre. À neuf heures et demie sharp[28], j'étais rendu avant les autres, et j'eus le temps de coller en cachette une petite image de l'Enfant-Jésus dret sour la pince du canot.

— Ça c'est plus fort que le diable, que je dis en moi-même; et j'allons voir c'qui va se passer.

— Embarquons, embarquons vite! que dit Titange à demi-haut à demi-bas, en arrivant avec quatre autres garnements, et en prenant sa place au gouvernail. Père Jos, vous avez de bons yeux, mettez-vous à la pince, et tenez la bosse. Les autres aux avirons! Personne a de scapulaire sus lui?

— Non.

— Ni médailles?

— Non.

— Ni rien de bénit, enfin?

— Non, non, non!

— Bon! Vous êtes tous en place? Attention là, à c'te heure! et que tout le monde répète par derrière moi: «Satan, roi des enfers, enlève-nous dans les airs! Par la vertu de Belzébuth, mène-nous dret au but! Acabris, acabras, acabram, fais-nous voyager par-dessus les montagnes!»... Nagez, nagez, nagez fort... à c'te heure!

Mais j't'en fiche, on avait beau nager, le canot grouillait pas.

— Quoi c'que ça veut dire, ça, bout de crime?... que fait Titange. Vous avez mal répété: recommençons!

Mais on eut beau recommencer, le canot restait là, le nez dans la neige, comme un corps sans âme.

— Mes serpents verts! que crie Titange en lâchant une bordée de sacres; y en a parmi vous autres qui trichent. Débarquez les uns après les autres, on voira ben.

Mais on eut beau débarquer les uns après les autres, pas d'affaires! la machine partait pas.

— Eh ben, j'y vas tout seul, mes calvaires[29]! et que le gueulard du Saint-Maurice fasse une fricassée de vos tripes!... «Satan roi des enfers...»

Exétéra.

Mais il eut beau crier: «Fais-moi voyager par-dessus les montagnes», bernique! le possédé était tant seurement pas fichu de voyager par-dessus une clôture.

Le canot était gelé raide.

Pour lorse, comme dit M. le curé, ce fut une tempête que les cheveux m'en redressent encore rien que d'y penser.

— Ma hache! ma hache! que criait Titange en s'égosillant comme un vrai nergumène. Je tue, j'assomme, j'massacre!... Ma hache!...

Par malheur, y s'en trouvait ben, une de hache, dans le fond du canot.

Le malvat[30] l'empoigne, et, dret deboute sus une des tôtes[31], et ses oreilles de calèche dans le vent, y la fait tourner cinq ou six fois autour de sa tête, que c'en était effrayant. Y se connaissait pus!

C'était une vraie curiosité, les enfants, de voir ce petit maigrechigne[32] qu'avait l'air d'un maringouin pommonique, et pi qui faisait un sacaoua[33] d'enfer, qu'on aurait dit une bande de bouledogues déchaînés.

Tout le chantier r'soudit, c'pas, et fut témoin de l'affaire.

C'est au canot qu'il en voulait, à c'te heure.

— Toi, qu'y dit, mon cierge bleu! J'ai récité les mots correct; tu vas partir ou ben tu diras pourquoi!

Et en disant ça, y se lance avec sa hache pour démantibuler le devant du canot, là où c'quétait ma petite image.

Bon sang de mon âme! on n'eut que le temps de jeter un cri.

La hache s'était accrochée d'une branche, avait fait deux tours en y échappant des mains, et était venue retimber dret sus le bras étendu du malfaisant, que la secousse avait fait glisser les quat'fers en l'air dans le fond du canot. Le pauvre diable avait les nerfs du poignet coupés net. Ce soir-là, à mênuit, tout le chantier se mit à genoux et dit le chapelet en l'honneur de l'Enfant-Jésus.

Plusse que ça, le jour de l'An au soir y nous arrivit un bon vieux missionnaire dans le chanquier, et on se fit pas prier pour aller à confesse tout ce que j'en étions, c'est tout c'que j'ai à vous dire; Titange le premier.

Tout piteux d'avoir si mal réussi à mettre le bon Dieu en cache, y profitit même de l'occasion pour prendre le bord de Trois-Rivières, sans viser un seul instant, j'en signerais mon papier, à aller farauder[34] les créatures cheux le bom' Câlice Doucet de la Banlieue.

Une couple d'années après ça, en passant aux Forges du Saint-Maurice, j'aperçus accroupi sus le perron de la chapelle, un pauvre quêteux qu'avait le poignet tout crochi, et qui tendait la main avec des doigts encroustillés[35] et racotillés[36] sans comparaison comme un croxignole[37] de Noël.

En m'approchant pour y donner un sou, je reconnus Titange à Johnny Morissette, mon ancien piqueux.

Et cric, crac, cra! Exétéra.

La Noël au Canada, Toronto, G. Morang & Co., 1900, p. 238-256.

Notes

1 On trouve plus souvent *rough*. Dur, brutal.
2 Qui dérange.
3 Garnement.
4 Personne bizarre, originale.
5 Aller bien ensemble, assortir.
6 Soûlerie, beuverie. Ici, soirée agrémentée de boisson et de danse.
7 Peur.
8 Se mouvoir sur son centre, trembler.
9 Frétiller, se tortiller.
10 Vaurien.
11 La coutume est décrite un peu plus loin.
12 Les Forges du Saint-Maurice. Voir «Coq Pomerleau», note 22, p. 46.
13 Tronc d'arbre fendu.
14 Voir «Tipite Vallerand», note 6, p. 13.
15 Ancien nom d'Ottawa, ville devenue, en 1867, la capitale de Canada et le siège du Parlement.
16 On trouve aussi *biter*. Surpasser, l'emporter sur.
17 Sans doute un quartier de la ville de Trois-Rivières, à l'époque de Fréchette.
18 Se trame secrètement.
19 Le diable, évidemment.
20 Pour courir la chasse-galerie, il faut que les voyageurs soient en nombre pair.
21 Décourage.
22 Anglicisme. Le plaisir.
23 Numéro.
24 Rétrécir, racorner.
25 Voir «Tom Caribou», note 11, p. 31.
26 Sortes de danses.
27 Air-la-pape, air-la-patte, air-la-paype. Danse écossaise sur un air de musique très vif.
28 Pile, exact.
29 Juron.
30 Garnement.
31 Tôter. Transporter de billots. Ici, «piles » de billots, peut-être.
32 Personne très maigre.
33 Mot indien qui veut dire grand tapage, orgie infernale. (*Cf.* Joseph-Charles Taché, «Le Noyeux», dans *Forestiers et voyageurs*. Préface de Luc Lacourcière, Montréal, Fides, 1946, p. 146, Le Nénuphar.)

34 Faire la cour à une jeune fille.
35 Croches, racornis.
36 Recroquillés, recroquevillés.
37 Croquignole.

LE MONEY MUSK

Nous étions encore réunis, ce soir-là, chez le père Jean Bilodeau, et c'était tout naturellement encore l'ami Jos Violon, le conteur habituel, qui avait la parole.

Après le préambule sacramentel dont il avait pour ordinaire de faire précéder ses histoires — «Cric, crac, les enfants», etc. — à seule fin d'obtenir le silence et de provoquer l'attention de ses auditeurs, le vétéran des «chantiers» entama son récit, en ayant bien soin, suivant son habitude, d'émailler ses phrases des expressions les plus pittoresques de son répertoire.

D'après c'que j'peux voir, les enfants, dit-il, vous avez pas connu Fifi Labranche[1], le jouor de violon. Vous êtes ben trop jeunes pour ça, comme de raison, puisqu'il est mort à la Pointe-aux-Trembles[2], l'année des Troubles[3].

En v'là un rôdeux qu'avait de la twist[4] dans le poignet pour faire sauter la jeunesse, dans son temps! M'a dire comme on dit, ça se battait pas! Quand il avait l'archet au bout du poignet, on pouvait courir toute la côte du sud, depuis la Baie-du-Febvre[5] jusqu'au Cap-Saint-Ignace[6], sans rencontrer, parmi les vieux comme parmi les jeunes, un snorreau[7] pour le matcher.

Y sont rares les ceuses qu'ont pas entendu parler de Fifi Labranche pi de son violon.

Eh ben, donc, c'était à seule fin de vous dire, les enfants, qu'un automne je m'étais associé justement avec lui. Pas associé pour jouer de la musique, vous entendez ben; parce que, malgré qu'on m'appelle Jos Violon — un nom de monsieur que j'ai toujours porté un peu correct, Dieu merci! — ça jamais pris moi pour jouer tant seurment un air de bombarbe.

C'était pas dans mes éléments.

Non, Fifi Labranche et pi moi, on s'était associé tout bonnement pour faire du bois carré. C'était un bon piqueux[8] que Fifi Labranche; et pour tant qu'à moi, on me connaît, pour jouer de la grand'hache dans le chêne, dans l'orme, dans le pin rouge ou l'épinette blanche, c'était comme lui pour jouer des reels[9] pi des gigues[10]; on aurait été virer loin avant de trouver un teigneux[11] pour m'en remontrer? C'est moi qui vous le dis!

Ça fait que, c't'hiver-là, on fut camper tous les deux dans les environs de la Gatineau[12], sus la rivière à Baptiste[13], qu'on appelle, avec une gang de malvats[14] qu'un des foremans[15] du bonhomme Wright avait caracolés dans les Cèdres[16], une paroisse de par en-haut.

Les voyageurs des Cèdres, les enfants, ça sacre pas comme les ceuses de Sorel[17], non! Ça invictime pas le bon Dieu et tous les saints du calendrier comme les hurlots de Trois-Rivières[18] non plus. Ça se chamaille pas à toutes les pagées de clôtures comme les batailleurs de Lanoraie[19]. Mais pour parler au diable, par exemple, y en a pas beaucoup pour les accoter.

Tous les soirs que le bon Dieu amène, sus les cages comme dans le bois, ces pendards-là ont toujours queuque sorcilège[20] de paré.

Ah! les enfants de perdition!

J'en ai vu qui levaient des quarts de lard sus le bout de leux doigts, comme si ç'avait été des traversins, en baragouinant des prières à l'envers, où c'que y avait pas mèche pour un chréquin de comprendre motte.

J'ai vu un Barabbas qui rongeait des tisons, sus vot' respèque, comme sa chique.

Y en avait un — un nommé Pierre Cadoret dit La Babiche — qu'avait emporté une poule noire avec lui. Quoi c'qu'y faisait de ça? Le bon Dieu le sait; ou plutôt le diable, parce que, tous les matins, au petit jour, la vingueuse de poule noire chantait le coq comme si elle avait eu toute une communauté de basse-cour à desservir.

Oui, parole de Jos Violon, les enfants! j'ai entendu ça de mes propres yeux plus de vingt fois!

Enfin, des vrais réprouvés, tous c'qu'ils en étaient.

Ça me peignait joliment le caractère à brousse poil, vous comprenez, d'être obligé de commercer avec ces espèces-là. Je suis pas un rongeux de balustres, Dieu merci! mais les poules noires et pi moi, ça fait deux, surtout quand c'est des poules qui chantent le coq.

Ce qui fait que je gobais pas fort c'te société-là. Mais j'étais matché[21] avec Fifi Labranche, c'pas; je laissais le reste de la gang fricoter leux sacrilèges entre eux autres; et, après les repas, on jouait une partie de dames à nous deux en fumant not' pipe, histoire de tuer le temps sans mettre not' pauvre âme entre les griffes de Charlot.

Mais ça fut comme rien, allez: la mauvaise compagnée, c'est toujours la mauvaise compagnée. Comme dit M. le curé, dis-moi c'que tu brocantes et j'te dirai c'qui t'tuait[22].

La veille de Noël au soir, le boss vint nous trouver:

— Coutez donc, vous deux, qu'y nous dit, c'est-y parce que vous êtes des dos blancs de la Pointe-Lévis[23] que vous voulez pas vous amuser avec les autres? Me semblait que t'avait apporté ton violon, Fifi; comment ça se fait qu'on l'entend jamais? Ho! tire-moi l'vire-broquin[24] du coffre, et joue-nous un reel à quatre, une gigue simple, une voleuse, tout c'que tu voudras, pourvu que ça gigote. Écoutez, vous autres, là-bas; j'allons avoir de la musique. Les ceuses qu'ont des démangeaisons dans les orteils ont la permission de se les faire passer.

Fifi Labranche était pas ostineux[25]:

— Je défouis pas, qu'y dit.

Et le v'là qu'aveint son violon, passe l'arcanson sus son archette, s'assit sus le coin de la table, casse une torquette[26], se crache dans les mains; et pi crin! crin! crin! en avant, les boys!

Le poêle était rouge dans le milieu de la place: au bout d'une demi-heure, on pouvait, je vous mens pas, tordre les chemises comme des lavettes.

— C'est ça qui s'appelle jouer du violon! que dit le boss en rallumant sa pipe; Fifi, t'es pas raisonnable de pas jouer pus souvent que ça.

— Corrèque! que dirent tous les autres, faut qu'y joue pus souvent que ça!

— Jouer du violon quand personne danse, c'est pas une grosse job, que dit Fifi.

— Mais de quoi c'qu'on fait donc là? que demande un de nos coupeux de chemin, justement l'homme à la poule noire, un grand maigrechine[27] qui se baissait pour passer dans les portes. — La Babiche, comme on le nommait, — ça s'appelle pas danser, ça? On est pas après écosser des fêves, à c'qui m'semble.

— Oui, vous dansez à soir parce que c'est demain fête. Si vous étiez obligés d'aller bûcher demain matin avant le jour, vous seriez pas aussi souples du jarret. Qu'en dis-tu, Jos Violon?

— Potence! que je dis, pour tant qu'à moi, je ménagerais mes quilles pour aller me coucher.

— Quiens, c't'affaire! que dit La Babiche, quand les hommes dansent pas, on fait danser d'autre chose.

— Qui ça? Les chaudrons, manquable? les tables, les bancs?

— Non, mais les marionnettes.

— Les marionnettes?

— Oui, les marionnettes...

Vous savez p't'être pas c'que c'est que les marionnettes, les enfants; eh ben, c'est des espèces de lumières malfaisantes qui se montrent dans le nord, quand on est pour avoir du frette. Ça pétille, sus vot' respèque, comme quand on passe la main, le soir, sus le dos d'un chat. Ça s'élonge, ça se racotille[28], ça s'étire et ça se beurraille[29] dans le ciel, sans comparaison comme si le diable brassait les étoiles en guise d'œufs pour se faire une omelette.

C'est ça les marionnettes!

M. le curé, lui, appelle ça des *horreurs de Morréal*, pi y dit que ça danse pas.

Eh ben, je sais pas si c'est des horreurs de Morréal ou ben de Trois-Rivières, mais j'en ai ben vu à Québec étout; et je vous dis que ça danse, moi, Jos Violon!

C'est ben le diable qui s'en mêle, je le cré ben, mais ça danse! Je les ai vues danser, et pi j'avait pas la berlue.

Fifi Labranche étout[30] les a vues, puisque c'est lui qui les faisait danser, à preuve que son violon en est resté ensorcelé pour plus de trois mois.

Parce qu'y faut vous dire qu'en attendant parler de faire danser les marionnettes, le pauvre Fifi, qu'était un bon craignant Dieu comme moi, s'était un peu rébicheté[31].

— Mais quand y en a pas, qu'y dit, de marionnettes...

— Quand y en a pas, on les fait venir, que dit La Babiche, c'est ben simple.

— Comment, on les fait venir?

— Dame oui, quand on sait les paroles.

— Queux paroles?

— Les paroles pour faire venir les marionnettes.

— Tu sais des paroles pour faire venir les marionnettes, toi?

— Oui, pi pour les faire danser. J'ai appris ça tout petit, de mon grand-père, qu'était un fâmeux jouor de violon, lui étout, dans son temps.

— Tu pourrais faire venir les marionnettes à soir?

— Ben sûr! le temps est clair, si tu veux jouer du violon, je dirai les paroles, et vous allez les voir arriver.

— Je serais curieux de voir ça, que dit Fifi Labranche.

— Fifi, que j'y dis, méfie-toi, c'est pas des jeux de chréquins, ça!

— Ouacht! qu'y répond, pour une fois on n'en mourra pas.

— C'est correct, Fifi! que dirent tous les autres, laisse Jos Violon faire la poule mouillée, si ça y fait plaisir, et pi toi roule ta bosse avec les bons vivants.

— Fifi, que j'y répète, prends garde! Tu devrais pas te mêler de ces paraboles-là. C'est des manigances du Malin qu'y veulent te faire faire. Tu connais La Babiche... Et pi le jour de Noël encore!...

Mais j'avais pas fini de parler qu'ils étaient déjà tous rendus sus le banc de neige, la tête en l'air, et reluquant du côté du Nord, pendant que Fifi Labranche accordait son violon.

Ma foi, tant pire, je fis comme les autres en me disant en moi-même:

— Tant que je ferai rien que regârder, y peut toujours pas m'arriver grand mal.

Y faisait un beau temps sec; pas une graine de vent, la boucane[32] de not' cheminée montait dret comme un cierge pascal, et les étoiles clignaient des yeux comme une créature qu'enfile son aiguille. On entendait les branches, qui craquaient dans le bois, je vous mens pas, pires que des coups de fouette de charrequier.

— Es-tu prêt, Fifi? que dit La Babiche.

— Oui, que répond mon associé; quoi c'que vous voulez que je joue?

— Joue c'que tu voudras, pourvu que ça saute.

— Le *Money musk?*

— Va pour le *Money musk!*

Ça fut comme un cillement de toupie, les enfants; l'archette fortillait dans les mains de Fifi, sans comparaison comme une anguille au bout d'une gaffe.

Et zing! zing! zing!... et zing! zang! zong!... Les talons nous en pirouettaient dans le banc de neige malgré nous autres. Je cré que le v'limeux avait jamais joué comme ça de sa vie.

La Babiche, lui, marmottait on sait pas quelle espèce de zitanie[33] de sorcier, les yeux virés à l'envers, en même temps qu'y faisait toutes sortes de simagrées avec son pouce, par devant, par derrière, à gauche, à drette — comme on dit, aux quat' vents.

Et le *Money musk* allait toujours. Fifi zigonnait comme un enragé.

Tout d'un coup, je sens comme un frisson de glace qui me griffait entre les deux épaules: je venais d'entendre quatre ou cinq de ces petites pétarades de peau de chat que je vous ai parlé tout à l'heure.

— Les vlont! que se mettent à crier les camarades; les vlont. Hourra pour La Babiche! Envoie fort, Fifi!

En même temps on apercevait comme manière de petites lueurs grisâtres qui se répandaient dans le Nord, comme si on avait barbouillé le firmament avec des allumettes soufrées.

— Envoie fort, Fifi, les v'lont! que répétait la gang de possédés.

Comme de faite, les damnées lueurs arrivaient par-ci par-là tout doucement, se faufilaient, se glissaient, s'éparpillaient, se tordaient comme des pincées de boucane blanche entortillées après des éclairs de chaleur.

— Envoie fort, Fifi! que criait la bande d'insé-crables.

La Babiche étout envoyait fort, parce que vlà des flammèches, pi des étincelles, pi des braises qui se mettent à monter, à descendre, à s'entrecroiser, à se courir après, comme une sarabande de fi-follets[34] qu'auraient joué à la cachette en se galvaudant avec des rondins de bois pourri. Des fois, ça s'amortissait, on voyait presque pus rien; et pi crac! ça se mettait à flamber rouge comme du sang.

Je vous mens pas, je cré que le diable s'amusait à fermer, pi à rouvrir queuques soupiraux de l'enfer, ni plus ni moins.

— Envoie fort, Fifi! envoie fort!...

Fifi pouvait pas faire mieux, je vous le garantis; le bras y allait comme une manivelle, et je m'aperçus qu'y commençait à blêmir. Moi, les cheveux me regrichaient[35] sous mon casque comme la queue d'un matou qui se damne.

— Viens-t'en, que j'y dis; viens-t'en! le diable va en emporter queuqu'un, c'est sûr.

Mais le malheureux m'entendait plus. Y paraissait aussi possédé que les autres, et le *Money musk* retontissait sour son archette qu'on aurait dit des cris de chats sauvages écorchés par une bande de loups-cerviers. Vous avez jamais rien entendu de pareil, les enfants!

Mais c'était pas le plus beau, pourtant, vous allez voir.

Pendant que tous mes garnements criaient à s'égosiller, vlà-t-y pas les marionnettes maudites qui se mettent à danser.

Parole la plus sacrée, les enfants! Jos Violon est pas un menteur, vous savez ça — vlà l'engeance infernale qui se met à danser, ma grand'conscience du bon Dieu comme des grand' personnes. Y perdaient pas un step[36], si vous plaît!

Et pi ça se tassait, ça se poussait, ça se croisait, ça baraudait, ça sautait les uns par-dessus les autres; des fois on les voyait raculer, et pi tout d'un coup y s'avançaient.

Oui, je vous conte pas d'histoires, les enfants, les noms de gueuses d'horreurs de Morréal, comme dit M. le curé, s'avançaient si tellement en accordant sur le *Money musk* de Fifi, que les vlont presque sus nous autres!

Je vous ai déjà dit, à c'qui me semble, que j'étais pas un peureux, et pi je peux vous en donner des preuves; eh ben, en voyant ça, je vous le cache point, je fais ni une ni deux, je lâche la boutique, je prends mes jambes à mon cou, et les cheveux drettes sus la tête, je cours me cacher dans la cabane.

Cinq minutes après, quatre hommes rapportaient le pauvre Fifi sans connaissance.

Y fut une journée sans parler, pi trois jours sans pouvoir lever sa hache pour piquer. Il avait, à ce que disait le foreman, une détorse[37] dans la langue, pi un torticolis dans le bras. C'est ce que le foreman disait, mais moi je savais mieux que ça, allez!

Toute la semaine y fut jongleur: pas moyen même de y faire faire sa partie de dames. Y bougonnait tout seul dans son coin, comme un homme qu'aurait, sus vot' respèque, le sac aux sentiments revirés à l'envers.

Ça fait que, la veille du jour de l'An, vlà les camarades qu'avaient envie de danser.

— Hourra, Fifi! aveins[38] les tripes de chat, pi brasse-nous un petit virvâle[39], c'est le temps! que dit le boss. Faut pas se laisser figer comme du lait caillé, hein! Êtes-vous prêts, là, vous autres?

— Oui, oui, ça y est! que dit toute la gang en se déchaussant et en se crachant dans les mains; ho! Fifi, dégourdis-nous les erminettes!

Je pensais que le pauvre esclopé[40] se ferait prier; mais non. Il aveint son violon, graisse son archette, se crache dans les mains à son tour, et commence à jouer le *Money musk*.

— Ah! ben, que dirent les danseux, y a un bout pour le *Money musk*! on n'est pas des marionnettes.

— C'est drôle, que dit Fifi en se grattant le front, c'est pourtant pas ça que j'avais l'intention de jouer. Allons, de quoi t'est-ce que vous voulez avoir? Une gigue simple? un harlapatte[41]?

— Un cotillon, bondance! faut se faire aller le canayen à soir.

— C'est correct! que dit Fifi.

Pi y recommence à jouer... le *Money musk*...

— Coute donc, Fifi, viens-tu fou, ou ben si tu veux rire de nous autres avec ton *Money musk*? On te dit qu'on en a assez du *Money musk*.

— Ma foi de gueux, je sais pas ce que j'ai dans les doigts, que dit Fifi: je veux jouer un cotillon, et pi ça tourne en *Money musk* malgré moi.

— Est-ce que t'as envie de nous blaguer?

— Je veux être pendu si je blague!

— Eh ben, recommence, torrieux! et pi fais attention!

— Allons, vlà Fifi qui se piète[42]; et pi l'archette d'une main, le violon de l'autre, le menton arbouté sus le tirant, et les deux yeux fisqués sus la chanterelle, y recommence.

Ça fut rien qu'un cri, les enfants:

— Ouah!...

Avec une bordée de sacres.

Y avait de quoi: le véreux de Fifi jouait encore le *Money musk*.

— Batêche! qu'y dit, y a du criminel là-dedans; je vous jure que je fais tout mon possible pour jouer un cotillon, moi, et pi le vingueux de violon veut pas jouer autre chose que le *Money musk*. Il est ensorcelé, le bout de crime! Un violon que vlà quinze ans que je joue avec! Vlà c'que c'est que de faire danser le diable avec ses petits. Quins! tu me feras pus d'affront, toi! va retrouver les gueuses de marionnettes!

Et en disant ça, y prend le désobéissant par le manche, et le lance à tour de bras dans le fond de la cheminée, où c'qu'y se serait débriscaillé en mille morceaux, ben sûr, si j'avions pas été là pour l'attraper, m'a dire comme on dit, au vol.

Deux autres fois, dans le courant de l'hiver, le pauvre Fifi Labranche prit son archette pour essayer de jouer queuque danse: pas moyen de gratter autre chose que le *Money musk*!

On peut pas être plus ensorcelé que ça, c'pas?

Enfin ça durit comme ça jusqu'au printemps, jusqu'à ce qu'en descendant l'Ottawa avec not' cage[43], Fifi Labranche eut la chance de faire bénir son violon par le curé de l'île Perrot[44], à la condition qu'y ferait pus jamais danser les marionnettes de sa vie.

Y avait pas beaucoup besoin de y faire promettre ça, je vous le persuade!

Toujours qu'après ça, ça marchait comme auparavant. Fifi Labranche put jouer n'importe queu rigodon à la mode ou à l'ancienne façon.

Vlà c'que Jos Violon a vu, les enfants! vu de ses propres oreilles!

Eh ben, vous me crairez si vous voulez, mais le tordvice[45] de Fifi — pour me faire passer pour menteur manquablement — a jamais voulu avouer, jusqu'à sa mort, que son violon avait été ensorcelé.

Y disait que c'était un tour qu'il avait inventé pour se débarrasser des ceuses qui voulaient le faire jouer à tout bout de champ, tandis qu'il aimait mieux faire sa partie de dames. Je vous demande un peu si c'était croyable.

C'est toujours pas à moi qu'on fait accraire des choses pareilles, parce que j'y étais! j'ai tout vu! et, c'est pas à cause que c'est moi, mais tout le monde vous dira que Jos Violon sait c'qu'y dit.

Avec ça que l'autre violon — celui de Fifi Labranche — est encore plein de vie comme moi; c'est le garçon de George Boutin qu'en a hérité.

Y peut vous le montrer, si vous me croyez pas.

Et cric, crac, cra! sacatabi, sac-à-tabac! mon histoire finit d'en par là!

Édouard-Zotique Massicotte, *Conteurs canadiens-français du XIXᵉ siècle*, Montréal, C. O. Beauchemin & fils, 1902, p. 193-205.

Notes

1 Fifi Labranche apparaît aussi dans un autre conte de Jos
  Violon, «Le diable des Forges». (Voir ce conte, note 2, p. 62.)

2 Ancienne municipalité située dans le nord-est de la l'île de
  Montréal érigée en 1912, annexée à la ville de Montréal en
  juillet 1982. «Les peupliers faux-trembles, communément
  appelés trembles, qui couvraient la pointe à l'origine sont
  aujourd'hui pratiquement disparus.» (*Noms et lieux du
  Québec. Dictionnaire illustré*, p. 541.)

3 Les rébellions des patriotes, dans la vallée du Richelieu, ont eu
  lieu en 1837-1838. Elles se sont soldées par la mort sur
  l'échafaud d'une douzaine d'entre eux, dont Chevalier De
  Lorimier, qui a laissé des lettres pathétiques, recueillies par
  James Huston, dans son *Répertoire national*, et par l'exil en
  Australie et aux Bermudes de plus d'une soixantaine.

4 Aussi *touisse*. Tour, habileté.

5 Municipalité située à une quinzaine de kilomètres de Nicolet,
  sur la rive sud du fleuve Saint-Laurent. À l'origine, ce coin de
  terre a été concédé à Jacques Lefebvre, un Trifluvien de
  naissance, qui «modifie bientôt son patronyme en Lefebvre de
  la Baie, opération qui entraîne, par métathèse, la forme **la Baie
  du Febvre** pour identifier le territoire. [...] le vocable *febvre* ou
  fèvre, du latin *faber*, en ancien français, identifiant celui qui
  travaille le fer, mot qui a été éliminé par *forgeron*, dérivé du
  verbe *fabricare, fabriquer*. La présence de l'article contracté *du*
  peut prêter à cette interprétation, d'autant plus que les
  patronymes, à l'origine, étaient signifiants sémantiquement.»
  (*Noms et lieux du Québec. Dictionnaire illustré*, p. 37.)

6 Municipalité située juste en face de l'Île aux Grues, sur la rive
  sud du fleuve Saint-Laurent, entre Montmagny et L'Islet. C'est
  «l'un des plus vieux endroits habités de la région de la Côte-
  du-Sud après Lauzon. L'origine du nom s'explique, d'une part,
  par la présence d'un petit cap formant presqu'île vis-à-vis de
  l'église actuelle et, d'autre part, peut-être, parce que les
  Jésuites qui ont exercé leur ministère dans les paroisses
  environnantes désiraient ainsi rendre hommage à leur
  fondateur saint Ignace de Loyola.» (*Noms et lieux du Québec.
  Dictionnaire illustré*, p. 107.)

7 Espiègle, canaille, finaud.

8 Piqueur. «Ouvrier qui pique le bois pour en faciliter
  l'équarrissage.» (Léandre Bergeron, *Dictionnaire de la langue
  québécoise*, 1981, p. 372.)

9 Se prononce *rile*. «Genre de musique d'origine écossaise très
  vive jouée surtout au violon. Danse sur cette musique.»

(Léandre Bergeron, *Dictionnaire de la langue québécoise*, 1981, p. 414.)

10 Sorte de danse.

11 Qui a la teigne, la gale, sorte d'insecte qui s'attaque au cuir chevelu. «Se dit d'une personne insupportable, qui s'accroche à vous.» (Gaston Dulong, *Dictionnaire des canadianismes*, 1999, p. 501.)

12 Voir «Tipite Vallerand», note 1, p. 12.

13 Affluent du Saint-Maurice, alimenté par le lac du même. Sa longueur est de 30 milles et son bassin a une superficie de 230 milles. (*Cf.* Eugène Rouillard, *Dictionnaire des rivières et des lacs de la Province de Québec*, p. 13.)

14 Garnements.

15 Contremaître, surveillant des travaux.

16 Sans doute le grand lac des Cèdres, d'une longueur de 6 kilomètres, partagé entre les cantons de Bouchette et de Maniwaki, à 15 km au sud-ouest de la ville de Maniwaki, dans la MRC de La Vallée-de-la-Gatineau.

17 Voir «Tipite Vallerand», note 6, p. 13.

18 Voir «Tipite Vallerand», note 4, p. 13.

19 Municipalité rurale aujourd'hui connue sous le nom de Lanoraie-d'Autray située sur la rive nord du Saint-Laurent dans la région de Lanaudière, au sus-ouest de Berthierville. «Ce nom double provient de la seigneurie d'Autray, concédée en 1637 à Jean Bourdon d'Autray [...] En 1688, elle est réunie à la seigneurie de La Noraye, propriété de Louis de Niort de La Noraye (1639-1708).» (*Noms et lieux du Québec. Dictionnaire illustré*, p. 342.)

20 Sortilège.

21 Jumeler, aller avec.

22 Déformation de l'expression: «Dis-moi ce que tu fréquentes, je te dirai qui tu es».

23 Voir «Le diable des Forges», note 4, p. 62.

24 Le violon, bien entendu.

25 Obstineux.

26 Tablette de tabac.

27 Maigrichon, personne très maigre.

28 Aussi *racoquiller*. Recroqueviller, se courber.

29 Salir, tâcher.

30 Aussi.

31 Se donner un air important, se rajeunir (Léandre Bergeron, *Dictionnaire de la langue québécoise*, 1981, p. 411).

32 Fumée.

33 Litanie.

34 Feux follets. Sur ces êtres surnaturels, voir Aurélien Boivin «De quelques êtres surnaturels dans le conte littéraire

québécois au XIXe siècle», dans *Nord*, n° 7 (automne 1977), p. 9-40 [v. p. 9-30)].

35 Verbe pronominal. Se redressaient.

36 Pas de danse.

37 Entorse.

38 Du verbe aveindre. Aller chercher quelque chose, l'atteindre avec effort (Léandre Bergeron, *Dictionnaire de la langue québécoise*, 1981, p. 56).

39 Sans doute un petit air pour danser, virevolter.

40 Éclopé.

41 Déformation de *harlapattes* (n. m. pl.). Air-la-patte, air-la-pape, air-le-paype (n. m.). Danse écossaise; air de musique très vif (Léandre Bergeron, *Dictionnaire de la langue québécoise*, 1981, p. 26).

42 Se piéter. V. pron. Se préparer hâtivement. Faire des préparatifs spéciaux (Léandre Bergeron, *Dictionnaire de la langue québécoise*, 1981, p. 369).

43 Cage de bois. «Autrefois, train de bois flotté, composé de plusieurs radeaux appelés *cribs* ou *drams* se déplaçant su fil de l'eau sous la direction des *cageux* ou tiré par un bateau, brelle.» (Gaston Dulong, *Dictionnaire des canadianismes*, 1999, p. 92.)

44 L'Île Perrot est «[l]a plus à l'ouest des îles de l'archipel d'Hochelaga, marque la limite entre le lac des Deux-Montagnes et le lac Saint-Louis. [...] Bien située à la confluence de la rivière des Outaouais et du Saint-Laurent, l'île Perrot est vite devenue un carrefour où sont passés voyageurs, missionnaires, explorateurs et militaires. L'île fut concédée le 29 octobre 1672 à François-Marie Perrot (1644-1691), capitaine du régiment de Picardie et deuxième gouverneur de Montréal.» (*Noms et lieux du Québec. Dictionnaire illustré*, p. 524.)

45 Juron inoffensif.

LES LUTINS

HISTOIRE DE CHANTIERS

— Les lutins, les enfants? Vous demandez si je connais c'que c'est que les lutins? Faudrait pas avoir roulé comme moi durant trente belles années dans les bois, sus les cages[1] et dans les chanquiers pour pas connaître, de fil en aiguille tout c'que y a à savoir sus le compte de ces espèces d'individus-là. Oui, Jos Violon connaît ça, un peu! —

Il va sans dire que c'était précisément Jos Violon lui-même, notre conteur habituel, qui avait la parole, et qui se préparait à nous régaler d'une de ses histoires de chantiers dont il avait été le témoin, quand il n'y avait pas joué un rôle décisif.

— Qu'est-ce que c'est d'abord, que les lutins? demanda quelqu'un de la compagnie. C'est-y du monde? C'est-y des démons?

— Ça, par exemple, c'est plusse que je pourrais-vous dire, répondit le vétéran des pays d'en-haut. Tout ce que je sais, c'est qu'il faut pas badiner avec ça. C'est pas comme qui dirait absolument malfaisant, mais quand on les agace, ou qu'on les interbolise trop, faut s'en défier. Y vous jouent des tours qui sont pas drôles: témoin c'te jeune mariée qu'ils ont promenée toute la nuit de ses noces, à cheval, à travers les bois, pour la remener tout essoufflée et presque sans connaissance, à cinq heures du matin. Je vous demande un peu si c'est des choses à faire!

D'abord, les lutins, tous les ceuses qu'en ont vu, moi le premier, vous diront que si c'est pas des démons, c'est encore ben moins des enfants-Jésus. Imaginez des petits bouts d'hommes de dix-huit pouces de haut, avec rien qu'un œil dans le milieu du front, le nez comme une noisette, une bouche de ouaouaron fendue jusqu'aux oreilles, des bras pi des pieds de crapauds, avec des bedaines comme des tomates et des grands chapeaux pointus qui les font r'sembler à des champignons de printemps.

Cet œil qu'ils ont comme ça dans le milieu de la physiolomie[2] flambe comme un vrai tison; et c'est ce qui les éclaire, parce que c'te nation-là, ça dort le jour, et la nuite ça mène le ravaud, sus vot'respèque. Ça vit dans la terre, derrière les souches, entre les roches, surtout sour les pavés d'écurie, parce que, s'ils ont un penchant pour quèque chose, c'est pour les chevaux.

Ah! pour soigner les chevaux, par exemple, y a pas de maquignons dans la Beauce pour les matcher. Quand ils prennent un cheval en amiquié, sa mangeoire est toujours pleine, pi faut y voir luire le poil! Un vrai miroir, les enfants, jusque sour le ventre. Avec ça, la crinière et la queue fionnées[3] comme n'importe queu toupet de créature; faut avoir vu ça comme moi. Écoutez ben c'que je m'en vas vous raconter, si on veut tant seulement me donner le temps d'allumer.

Et, après avoir soigneusement allumé sa pipe à la chandelle, et débuté par son préambule ordinaire: «Parli, parlo, parlons», etc., le vieux narrateur entama son récit dans sa formule accoutumée:

— C'était donc pour vous dire, les enfants, que c'tannée-là, j'étions allés en hivernement sur la rivière au Chêne[4], au service du vieux Gilmore, avec une gang de par cheux nous ramassée dans les hauts de la Pointe-Lévis[5], et dans les Foulons du Cap-Blanc[6].

Quoique not' chanquier fût dans les environs du Saint-Maurice[7], le père Gilmore avait pas voulu entendre parler des rustauds de Trois-Rivières[8]. Y voulait des travaillants corrects, pas sacreurs, pas ivrognes et pas sorciers. Des coureux de chasse-galerie, des hurlots qui parlent au diable et qui vendent la poule noire il en avait assez, à qui paraît.

En sorte qu'on était tous d'assez bons vivants, malgré qu'on n'eût pas l'occasion d'aller à la basse messe, tous les matins.

Comme vous devez le savoir, les enfants, la rivière au Chêne, c'est pas tout à fait sus le voisin, comme on dit: mais c'est pas au diable vert[9] non plus. En partant de Trois-Rivières, on se rend là dans deux jours et demi faraud: et comme le trajet s'y oppose pas, ça vous donne la chance d'emmener des chevaux avec vous autres pour le charriage.

Le boss s'en était gréyé[10] de deux, avant de partir. Un grand noir à moitié dompté, avec une petite pouliche cendrée, fine comme une soie. Belzémire qu'a s'appelait. Une anguille dans le collier, les enfants, épi une vraie poussière sur la route. Je vous dis que c'était snug[11] c'te petite bête-là! Tout le monde l'aimait. C'était à qui d'nous autres volerait un morceau sucre à la cambuse pour y donner.

Je vous ai t'y dit que le grand Zèbe Roberge faisait partie de not' gang? Eh ben, c'était lui qu'était chargé de l'écurie, autrement dit de faire le train. Un bon garçon comme vous savez, Zèbe Roberge. Et comme je venions tous les deux de la même place, j'étions une paire d'amis, et le dimanche, dans les beaux temps, j'allions souvent fumer la pipe ensemble à la porte de l'étable, en prenant ben garde au feu, comme de raison.

— Père Jos, qu'y me dit un jour, croyez-vous aux lutins, vous?

— Aux lutins?

— Oui.

— Pourquoi c'que tu me demandes ça?

— Y croyez-vous?

— Dame, c'est selon, que je dis; c'est pas de la religion, ça: on n'est pas oubligé d'y croire.

— C'est ce que je pensais étout moi, que dit Zèbe Roberge; je me disais aussi: «C'est selon.» Eh ben, écoutez! c'est pas de la religion, c'est vrai; mais, que le bon Dieu me le pardonne! je commence à y croire tout de même, moi.

— Aux lutins?

— Aux lutins!

— Tu dis ça pour rire?

— Pantoute! Tenez, mettez-vous à ma place, père Jos. Tous les lundis matins, depuis quèque temps, j'ai beau me lever de bonne heure, devinez quoi c'que je trouve à l'écurie!

— Dame...

— Vrai comme vous êtes là, j'y comprends rien. Belzémire est déjà toute soignée, plein sa crèche de foin, plein sa mangeoire d'avoine, le poil comme un satin, mais tout essoufflée comme si a venait de faire quinze lieues d'une bauche[12].

— Pas possible!

— Ma grande vérité! Ça m'a chiffonné la comprenure[13] d'abord; mais j'en ai pas fait trop de cas, parce que j'avais pas remarqué le principal; à la clarté d'un fanal, comme de raison, on peut pas tout voir. Ce qui m'a mis la puce à l'oreille, par exemple, c'est quand j'ai entendu, lundi dernier, France Lapointe qui disait à Pierre Fecteau: «Regarde-moi donc comme le grand Zèbe a soin de sa Belzémire! Si on dirait pas qu'y passe son dimanche à la pomponner pi à la babichonner!» En effette, père Jos, la polissonne de jument avait la crigne épi la queue peignées, ondées, frisottées, tressées, je vous mens pas, que c'en était... criminel. Je me dis en moi-même: «V'là queuque chose de curieux. Faudra surveiller c't'affaire-là.»

— As-tu ben surveillé?

— Toute la semaine suivante, père Jos.

— Et puis?...

— Rien!

— Et le lundi matin?

— Toujours la même histoire; la jugment les flancs bandés comme un tambour; et le crin... Entrez voir, père Jos, il est pas encore défrisé.

Parole de Jos Violon, les enfants, en apercevant ça, y me passit comme une souleur dans le dos. J'appelle pus ça frisé: on aurait juré que la vingueuse de pouliche était pommadée comme pour aller au bal. Il y menquait que des pends-d'oreilles[14] avec une épinglette. On se demandait, nous deux Zèbe, c'que ça voulait dire, quand on entendit, du côté de la porte, une voix qui nous traitait d'imbéciles. On se retourne, c'était Pain-d'épices qui venait d'entrer.

Pain-d'épices, les enfants (je sais pas si je vous en ai parlé) était une espèce d'individu qu'avait toujours la pipe au bec, un homme des Foulons qui s'appelait Baptiste Lanouette, mais que les camarades avaient surnommé Pain-d'épices, on sait pas trop pourquoi. Un bon garçon, je cré ben, mais un peu sournois, à ce qu'y me semblait. Il s'approchit de nous autres sus le bout des pieds, et nous soufflit à l'oreille:

— Vous voyez pas que c'est les lutins!

— Hein!

— Vous voyez pas qu'elle est soignée par les lutins? C'est pourtant ben clair.

— Zèbe Roberge tournaillait sa chique dans sa bouche, l'air tout ébaroui[15].

— J'étais justement en train de parler de d'ça au père Jos, qu'y dit.

— Tut, tut! fit Pain-d'épices, faut pas faire le capon comme ça. Y a pas de doute que y a quèque sortilège de c't'espèce-là au fond du sac... J'ai quasiment envie, moi, d'envoyer toute ma conçarne au... t'ont pas fait mal depuis le commencement de l'hiver, les lutins. Eh ben, laisse porter. C'est pas malfaisant, ni vlimeux.

Parles-en pas seulement. Si on se mêle pas de leux
affaires, y a pas de soin avec eux autres. Je connais ça,
moi, les lutins; j'en ai vu ben chux mon défunt père,
qu'était charrequier.

Je vous dirai ben, les enfants, c't'histoire-là me
chicotait un peu.

— C'est ben correct tout ça, que je dis à Zèbe
Roberge, le lendemain au soir. Mais ça me déplairait
pas d'en voir, moi, des lutins. Y a pas de mal; c'est pas
dangereux; et pi j'ai entendu dire que quand on pouvait
en poigner un, c'était fortune faite; de l'argent à
jointées! Quand c'est une femelle surtout — c'est ce
qu'est arrivé à un gros marchand de la Rivière-Ouelle[16]
— on peut l'échanger pour un baril plein d'or. Dis-donc,
Zèbe, si on était assez smart, tu comprends...

Zèbe avait commencé d'abord par faire la grimace;
mais quand il entendit parler du baril plein d'or, je vis
que ça commençait à y tortiller le caractère. Enfin,
pour piquer au plus court, on décidit de se cacher tous
les deux dans l'étable, le dimanche au soir, et de
watcher[17] les diablotins quand ils viendraient faire
leux manigances avec la Belzémire.

Comme de faite, le dimanche au soir arrivé, dès
sept heures et demie, nous v'lont nous deux, Zèbe
Roberge, accroupis d'un coin de l'écurie, derrière un
quart de son pi deux bottes de paille, pendant que
not'fanal (faullait ben voir clair, c'pas) paraissait avoir
été oublié sus sa tablette, en arrière de la pouliche.

On fut pas longtemps à l'affût. Il était pas encore
huit heures, quand on entendit comme une espèce de
petit remue-ménage qu'avait l'air de venir dret d'au-
dessour de nous autres. Nous v'lont partis à trembler
comme deux feuilles; on a beau être brave, c'pas...

Jos Violon pi une poule mouillée, ça fait deux, vous
savez ça; eh ben, je sais pas ce qui me retint de prendre
la porte pi de me sauver. Faut que ça soit Zèbe, qui me
retint, parce que je m'aperçus qu'il avait la main frette
comme un glaçon. Je le crus sans connaissance,

surtout quand je vis, à deux pas de not'cachette,
devinez quoi, les enfants! un des madriers du plancher
qui se soulevait tout doucement comme s'il avait été
poussé par en-dessour. Ça pouvait pas être des rats: on
fit un saut, comme de raison. Crac! v'là le madrier qui
se replace, tout comme auparavant. Je crus que j'avais
rêvé.

— As-tu vu? que je dis tout bas à Zèbe.

C'est à peine s'il eût la force de me répondre:

— Oui, père Jos; j'sommes finis, ben sûr!

— Bougeons pas! que je dis, pendant que Zèbe,
qu'était un bon craignant Dieu, faisait le signe de la
croix des deux mains.

Tout d'un coup, v'là la planche qui recommence à
remuer; épi nous autres à regarder. C'te fois-citte on
avait not' en belle[18]: le trou se montrait tout à clair à
la lueur de not' fanal. D'abord on vit r'sourdre le bout
à pic d'un chapeau pointu, puis un grand rebord à
moitié rabattu sus quèque chose de reluisant comme
une braise, qui nous parut d'abord comme une pipe
allumée, mais que je compris plus tard être c't'espèce
d'œil flambant que ces races-là ont dans le milieu du
front. Sans ça, ma grand'conscience du bon Dieu,
j'aurais quasiment cru reconnaître Pain-d'épices avec
son brûle-gueule. C'que c'est que l'émagination!
j'crus même l'entendre marmotter: «Quins, Zèbe qu'a
oublié d'éteindre son fanal!»

Je fis ni une ni deux, j'mis la main dans ma poche
pour aveindre[19] mon chapelet. Bang! v'là mon couteau
à ressort qui timbe par terre, Zèbe qui jette un cri, le
chapeau pointu qui disparaît, et moi qui prends la
porte et pi mes jambes, suivi par mon associé, qu'était
loin de penser aux jointées d'argent et aux barils
pleins d'or, je vous en signe mon papier.

Vous pouvez ben vous imaginer, les enfants qu'on
fut pas pressé de parler de notre aventure. Y avait pas
de danger qu'on risquît de se mettre dans les pattes de
c'te société infernale qu'on avait eu juste le temps de

voir un échantillon. On savait c'qu'on voulait savoir, c'pas; c'était pas la peine de mettre toute la sarabande à nos trousses. On laissit marcher les affaires tel que c'était parti.

Tous les lundis matins, Zèbe trouvait Belzémire ben soignée, et sa toilette faite. Ça fut ben pire au jour de l'an, par exemple ce jour-là pas de Belzémire! a reparut dans son part que le lendemain matin, fraîche comme une rose. Quoi c'qu'elle était devenue? pendant ce temps-là? Pain-d'épices, qu'avait passé la journée à la chasse, nous jurit sus sa grand'conscience, qu'il l'avait vue filer au loin par-dessus les âbres comme si le diable l'avait emportée.

Je m'informais de temps en temps de ce qui se passait; mais sitôt que j'ouvrais la bouche là-dessus:

— Je vous en prie, père Jos, que me disait le grand Zèbe, parlons pas de d'ça, c'est mieux. Chaque fois que je mets le pied dans l'écurie, je tremble toujours de voir la gueuse de planche se lever et le maudit chapeau pointu se montrer. On est pas près de me revoir par icitte; tout le Saint-Maurice est ensorcelé, qu'on dirait!

Jos Violon était pas pour le démentir, les enfants; parce que, aussi vrai comme vous êtes là, je ne sais pas si c'est à cause du voisinage de Trois-Rivières, mais j'ai jamais passé un hivernement dans les environs du Saint-Maurice, sans qu'il nous arrivit quèque vilaine traverse.

Quoi qu'il en soit, comme dit M. le curé, le printemps arrivé, on se fit pas prier pour prendre le bord d'en bas. Les rafts[20] étaient parées, tout le monde arrimit son petit bagage pour se mettre en route. Les cloques, les casques, les raquettes, les outils, les fusils, les pièges, le violon de Fifi Labranche[21], le damier à Bram Couture, exétera, exétera!

Le Boss nous avait chargés, Zèbe Roberge épi moé, de ramener les deux chevaux. Nous v'là partis tous les deux en traîne avec Belzémire dans les ménoires, et le grand noir qui nous suivait par derrière. On descendait grand train, quand, à un endroit qu'on appelle la Fourche, v'là ty pas la jument qui se lance à bride abattue à gauche, au lieur de piquer à droite le long de la rivière.

«Zèbe tire, gourme, cisaille: pas d'affaires! la gueuse de Belzémire filait comme le vent. Qu'est-ce que ça voulait dire?

— Enfin, laissons-la faire, que je dis; on rejoindra la rivière plus loin.

On fit ben sûr cinq bonnes lieues de ce train-là, et je commencions à trouver la route longue, quand on aperçut une maison.

«Bon! que j'allais dire, on va pouvoir se dégourdir un peu les éléments!»

Mais j'avions pas fini d'ouvrir la bouche que Belzémire était arrêtée dret devant la porte.

— Quins! que dit Zèbe Roberge, on dirait que la guevalle[22] connaît les airs, elle a pourtant jamais rôdé par icitte.

Comme il achevait de dire ça, v'là la porte qui s'ouvre, épi qu'on entend une petite voix claire qui disait:

— Quins! c'est la jument à M. Baptiste! Voyez donc si elle est fine, a se reconnaît, elle qu'est presque jamais venue dans le jour...

— Tais-toi, pi ferme la porte! cria une grosse voix bourrue partie du fond de la maison.

— Paraît que je sommes de trop dans le chanquier, que dit Zèbe Roberge, avec un coup de fouet sus la croupe à Belzémire, qui partit en jetant un coup d'œil de travers à la maison.

À sentait le lutin, c'est ben clair...

L'année d'après, qui c'que vous pensez que je rencontre dans le fond du Cul-de-sac, à Québec? Baptiste Lanouette dit Pain-d'épices, avec sa pipe au bec, comme de raison, épi gréyé d'un grand chapeau pointu qui me fit penser tout de suite à celui que j'avais vu sus la tête du lutin, à la rivière au Chène.

Y me racontit qu'il avait ben manqué d'en attraper un, dans la même écurie où's que moi pi Zèbe j'avions vu le nôtre; si ben que le chapeau en était resté dans les mains.

Je l'avais ben reconnu tout de suite, allez!

Diable de Pain-d'épices, dites-moi! Encore un peu... y serait ben riche à c't'heure.

Si jamais vous passez par les Foulons du Cap-Blanc, les enfants, demandez Baptiste Lanouette, et parlez-y de d'ça: vous verrez si Jos Violon est un menteur!

L'Almanach du peuple Beauchemin, Montréal, Beauchemin, 36e année (1905), p. 200-218.

Notes

1 Cage de bois. (Voir «Tipite Vallerand», note 1, p. 12.)

2 Physionomie.

3 Fionner. Faire des fions, c'est-à-dire des fioritures.

4 Affluent de la rivière Ottawa, à Saint-Eustache. Sa longueur est de 15 milles et la superficie de son bassin est de 110 milles. (*Cf.* Eugène Rouillard, *Dictionnaire des rivières et des lacs de la Province de Québec*, p. 37.)

5 Voir «Le diable des Forges», note 4, p. 62.

6 «[Q]uartier de la ville de Québec qui s'étire sur un peu moins de 2 km au pied de la falaise, à partir de l'extrémité sud-ouest du cap Diamant, en se dirigeant vers la pointe à Puiseaux. L'église de la paroisse de Notre-Dame-de-la-Garde occupe le centre de cette agglomération linéaire resserrée entre le cap et le fleuve. [...] Pour Pierre-Georges Roy, *Cap-Blanc* serait la traduction littérale du nom indien *Uupistikoiats* attribué par son apparence primitive à la partie du cap au pied duquel était bâtie l'église.» (*Noms et lieux du Québec. Dictionnaire illustré*, p. 104-105.)

7 Voir «Tipite Vallerand», note 3, p. 13.

8 Voir «Tipite Vallerand», note 4, p. 13.

9 À diable vauvert.

10 En avait acquis, s'était pourvu de.

11 Gentil, agréable. (*Cf.* Narcisse-Eutrope Dionne, *Le parler populaire des Canadiens français*, Québec, Les Presses de l'Université Laval, 1974, p. 608.)

12 Course rapide.

13 Compréhension, intelligence.

14 Pendants d'oreilles.

15 Étonné, surpris.

16 Municipalité située à une dizaine de kilomètres de Sainte-Anne-de-la-Pocatière et à une vingtaine de Kamouraska. «Historiquement, la dénomination concernée a d'abord été attribué à la rivière, vers 1641 [...] puis à la municipalité. [...] Selon toute probabilité, la rivière comme la municipalité doivent leur nom à Louis Houel (ou Ouel), parfois orthographié Houël, compatriote et ami pieux de Champlain, membre de la Compagnie des Cent-Associés et contrôleur général des salines de Brouage. [...] On a, en outre, avancé deux autres explications assez répandues [...] il s'agirait de Jeanne de Houel, épouse de Nicolas Deschamps, contrôleur général français, qui a été enlevée avec son fils par les Iroquois au cours d'un voyage dans la région ; ou bien, il faudrait y voir le

patronyme de René Ouellet, à qui le seigneur Deschamps concède un lot en 1690 et qui épouse Angélique Lebel «à la rivière Ouelle» en 1691.» (*Noms et lieux du Québec. Dictionnaire illustré*, p. 581-582.)

17 Surveiller.

18 Embelle. Occasion favorable.

19 Aller chercher quelque chose, l'atteindre avec effort (Léandre Bergeron, *Dictionnaire de la langue québécoise*, 1981, p. 56).

20 Trains de bois.

21 Fifi Labranche est le personnage principal d'un autre conte de Jos Violon, «Le Money Musk». Il est également nommé dans le conte «Le diable des Forges».

22 Jument. Aubert de Gaspé utilise le même nom dans ses *Anciens Canadiens* (1863).

LA HÈRE
HISTOIRE DE CHANTIERS

Ceci nous reporte en 1848, ou à peu près.

Nous étions, ce soir-là, un bon nombre d'enfants, et même de grandes personnes — des cavaliers avec leurs blondes pour la plupart — groupés en face d'un four à chaux dont la gueule projetait au loin ses lueurs fauves au pied d'une haute falaise, à quelques arpents de chez mon père, dans un vaste encadrement d'ormes chevelus et de noyers géants.

Jos Violon, notre conteur ordinaire, après avoir allumé sa pipe à l'aide d'un tison, et toussé consciencieusement pour s'éclaircir le verbe, suivant son expression habituelle, se préparait à prendre la parole sur un sujet qui piquait tout particulièrement notre curiosité; car, à notre dernière *veillée de contes*, le vétéran des Pays d'en haut nous avait promis de nous parler de la Hère.

— La Hère, mes enfants, dit-il, c'est peut-être rien de nouveau à vous apprendre, c'est une bête, mais une bête ben rare, vu qu'elle est toute fine seule de son espèce. Une bête ordinaire a des petits, c'pas; c'est la mode même parmi les sarpents. Mais la Hère, elle, ben loin d'avoir des petits, a tant sourment pas ni père ni mère... au moins d'après c'que les vieux en disent.

Les autres bêtes, ça se jouque[1], ça se niche, ça s'enterre, ça rôde, ça pacage, ça se loge queuque part;

la Hère, elle, on n'a jamais pu savoir là où c'que ça se quint. On dirait que ça existe pas.

Vous allez me demander si c'est une bête dangereuse. Dame, c'est permis de le croire, si faut en juger par sa réputation qu'est ben loin d'être c'que y a de plus soigné parmi les bons chrétiens. Quand vous rencontrez un homme bourru, hargneux, mal commode, vous dites: «C'est une hère, c'pas; est-il hère un peu c't'animal-là!» En sorte que, les enfants, c'est pas une bête à caresser; son nom le dit.

Ça se montre par-ci par-là, tous les cinquante ans, d'autres disent tous les cent ans — comme un jubilé — la nuit, quand il fait ben noir, pendant les orages, dans le bois, sus le bord des grèves, dans les coins malfaisants. Et c'qu'est le plus estrédinaire, c'est que les ceuses qui ont la malchance de voir ça veulent jamais ouvrir la bouche pour en parler.

Une fois, dans les fonds de Saint-Antoine de Tilly[2], une pauvre femme fut enlevée par la terrible bête. Eh ben, malgré que son mari eût tout vu, y a pas eu un juge, ni un avocat, ni un curé, pour y faire dire c'que sa femme était devenue. Chaque fois que queuqu'un y parlait de d'ça, y partait à trembler comme une feuille.

Pourtant y en a qui l'ont vue, sûr et certain, la Bête, puisque les gens de Lanoraie[3] et pi de l'Industrie l'appellent jamais autrement que la «Bête-à-grand'queue». Comment c'qu'on pourrait savoir si elle a une grand'queue, si on l'avait jamais vue, c'pas?

Pour dire le vrai, les enfants, Jos Violon est pas un homme à se vanter, vous savez ça; je l'ai jamais vue, moi, la Bête — au moins j'en ai pas eu connaissance. Et pi c'est ben heureux, puisque les ceuses qui l'ont vue peuvent pas rien en dire, si y a queuqu'un qui peut en parler, comme on dit apartement[4], c'est les ceuses qui l'ont pas vue. Ça c'est plein de bons sens.

Enfin, j'm'en vais vous raconter ce que j'en sais dans le fin fond de ma connaissance, les enfants, et vous me crairez si vous voulez.

C'était donc pour vous dire que, c't'année-là, Zèbe Roberge[5] et pi moi, on s'était engagés pour aller faire une rôdeuse de cage de pin rouge sus la rivière aux Rats[6], qu'est — vous en avez déjà p'tête ben entendu parler — qu'est comme qui dirait une branche du Saint-Maurice[7]; mais une vilaine branche, m'a dire comme on dit, parce que c'est ça qui se trémousse la corporation un peu croche, c'est le cas de le dire.

C'est des écorres, c'est des crans, des anses, des rochers, des cailloux gros comme des maisons, avec des remous, les enfants, qu'un rapide attend pas l'autre. Pas moyen de faire dix arpents sus c'te vingueuse de rivière-là sans s'demander si on est pas sus le bord de queuque principice[8] qu'a pas de fond.

Ils appellent ça la rivière aux Rats; si elle est *au ras* de queuque chose, c'est toujours pas loin de l'enfer. Y avait rien qu'en dedans de la Pointe-à-Baptiste, qu'on appelle, là où c'qu'on pouvait mouiller un canot et se faire entendre d'un rivage à l'autre, quand on criait fort.

En tout cas, j'ai vu ben des alimaux rôder dans les environs; et je vous persuade, les enfants, que c'était pas des rats — à moins que ça fût des rats de dix pieds de long.

Zèbe Roberge, lui, prétendait dur comme fer que c'était des loups-garous. Il avait vu — à ce qu'y disait — un gros chien noir qui l'avait regardé en hurlant, avec des yeux flambants, comme des tisons; et comme personne avait vu ce chien-là auparavant, c'était ben assez pour faire penser, c'pas. Mais faut savoir aussi que Zèbe avait, comme on dit, une manière, comme qui dirait une lyre[9], c'était de voir des sorciers partout.

Depuis son aventure avec un lutin qui nous avait montré son chapeau pointu et pi son œil rouge sour le pavé d'un écurie[10] y pouvait pas ouvrir la bouche sans raconter quèque histoire de sorcilège. On aurait dit qu'il les inventait.

Y avait dans not'gang un bon petit jeune homme qu'on appelait — je sais pas trop pourquoi — Johnny LaPicotte. Y en a qui pensaient que c'était parce qu'il était picoté un peu fort. Pour dire le vrai, il était picoté hors du commun; on voyait presque au travers. C'est pas ça qui l'embellissait, vous comprenez. Mais à part de d'ça pas de malice pour un sou; c'était le seul défaut qu'il avait dans son caractère.

Pas paresseux, pas sacreur, pas bavard, toujours prêt à rendre service, on l'aimait ben. Et, assez souvent, le soir, quand le temps était doux, j'allions tous les deux faire un petit tour de jase sus le bord de la rivière, en fumant not'pipe sans faire semblant de rien. J'avais du bon tabac haché ben fin, et ça y faisait plaisir de charger dans ma blague. Il était jongleux[11], moé étout; enfin on s'accordait comme une paire de vieux amis.

Queuquefois on s'assisait tous les deux sus une souche ou sus le bord d'un écran, et je regardions la leune se lever, sans souffler motte. Vous allez me dire que ça devait pas être tout à fait aussi réjouissant qu'un bal de mariés; j'suit avec vous autres, mais aussi j'ai pas besoin de vous dire à mon tour que ça durit pas toute l'hiver. On en eut assez de l'automne.

Si vous vous en souvenez, Zèbe Roberge était mon piqueux: ce qui fait que, tandis que je travaillais de la grand'hache, et que lui s'occupait à piquer ou à botter, j'avions pris l'habitude de jaser de temps en temps sus l'ouvrage, histoire de trouver la journée moins longue. Quand on est de la même place, vous comprenez, les enfants, il est rare qu'on n'ait pas queuque chose à se dire.

Une bonne après-midi donc que le temps était d'un beau calme, et que nos coups de hache retontissaient dans le bois comme de la vraie musique, Zèbe s'arrêta de piquer pour se cracher dans les mains, et pi, sans lever les yeux sus moi — crainte de m'interboliser[12] manquabe — y me dit comme ça:

— Père Jos!

— De quoi? que je lui réponds.

— Vous sortez gros avec Johnny LaPicotte, sans reproche.

— Ça se peut, que je dis; y a-t-il du mal à ça?

— Y a pas grand mal, j'cré ben... Et pi vous allez trouver que c'est pas beaucoup de mes affaires. Mais c'est pas pour dire, ça commence à faire des parlements[13] dans le chanquier. Les camarades se demandent souvent de quoi t'est-ce que vous avez tant à vous raconter. Lui qu'est de Batiscan[14], et pi vous qu'êtes de la Pointe-Lévis[15], c'est pas comme nous deux que je sommes de la même paroisse.

— De quoi qu'il ont tous à bavasser[16], que je dis? En v'là, par exemple!

— Eh ben, vous ferez comme vous l'entendrez, père Jos; mais du train qu'y vont là, vous finirez par passer pour sorcier vous étout.

— Comment ça?

— Vous savez pas que Johnny LaPicotte passe pour avoir toutes sortes de manigances avec le Méchant Esprit?

— Bon! que je dis, te v'là encore avec tes idées, mon pauv'Zèbe! Chasse-toi donc ces machines-là de la tête, hein! je t'en prie. Ça te jouera des mauvais tours. Tu vois des sorciers partout; prends garde de pas voir le diable à queuque détour!

— Père Jos, qu'y dit, quand on a les yeux ouverts, on voit ben des choses; et pi Zèbe Roberge les a pas fermés, les yeux, c'est tout ce que j'ai à vous dire!

— Gageons que t'a vu la Hère! On en parle gros par icitte, de la Hère!... Bande de fous!

— Non, j'ai pas vu la Hère! Vous savez ben que si je l'avais vue, je ferais comme les autres: j'en parlerais jamais. Mais j'ai entendu les choses... par exemple... des choses... qu'étaient pas correctes, ben sûr!

— Des choses que Johnny avait affaire là-dedans?

— Dame, écoutez, vous en jugerez par vous-même, père Jos. Vous souvenez-vous, y a queuque temps, quand le boss nous avait envoyés, moi pi Johnny, derrière la Pointe-à-Baptiste pour chercher un bout de chaîne qu'il avait laissé dans le fond du grand canot de la drave?

— Eh ben?

— Eh ben, écoutez ce qui nous est arrivé!

— Voyons voir.

— Quand on fut rendus sus le bord de la grève où c'que j'avions remisé le canot, comme j'étions pas absolument pressés de nous en retourner, il nous prit l'envie de nous assire sus un billot à sec, pour allumer. Y avait déjà un petit bout de temps qu'on fumait, quand LaPicotte me dit:

— Zèbe, avez-vous jamais remarqué la belle écho qu'y a par icitte?

— Quelle écho? que je dis.

— Dame, l'écho qu'y a par icitte; quoi c'que vous voulez que je dise de plusse? L'avez-vous remarquée?

— Non! De quoi t'est-ce qu'elle a, c't'écho?

— Eh ben, qu'y dit, c'est la plus drôle d'écho que vous avez jamais entendue. Ça parle, m'a dire comme on dit; ça parle, sans comparaison aussi franc comme une grand'personne.

— Tu me dis pas ça!

— Vrai comme vous êtes là!

— Vous avez qu'a voir! Pi y a-t-y moyen de la faire parler?

— On peut toujours essayer. Criez queuque chose: a vous répondra p'tête ben.

— C'est pas difficile, que je dis. N'importe quoi?

— N'importe quoi.

Comme de faite, père Jos, je monte sus une souche, je me tourne du côté de la rivière, je me fais un cornet avec mes deux mains, et, sans chercher midi à quatorze heures, je beugle dedans:

— Comment ça va, ma vieille?

Bon sang de mon âme, vous me craillez jamais!

— Continue, je t'écoute.

— Père Jos, que me dit Zèbe, qui avait recommencé à piquer; de quoi c'qu'une écho naturelle vous répond, quand vous y parlez?

— C'te demande! a répète le dernier mot qu'on y dit. C'est comme ça par cheux nous toujours.

— Eh ben, que me dit Zèbe, c'est pas comme ça sus la rivière aux Rats. Aussi vrai comme v'là un sapin qui me regarde, sus ma grand'conscience du bon Dieu, père Jos! J'avais pas plus tôt lâché «comment ça va, ma vieille?» que j'entendis une grosse voix qui sortait du bois de l'autre côté de la rivière, et qui disait — il m'en passe encore des souleurs entre les deux épaules — qui disait: — «Ben, pi toé, mon vieux!»

J'ai pas besoin de vous dire si ça me donnit une tape dans le creux de l'estomac.

— Ça, c'est un écho! que dit LaPicotte. Continuez, demandez y d'autre chose, vous allez voir.

J'avais plutôt envie de me sauver, parce que je crayais quasiment, sus votre respèque, que j'avais parlé au diable. Pourtant, en y réfléchissant, je me dis que je m'étais p'tête ben trompé, que j'avais mal compris. Je fais ni une ni deux, je me piète[17] comme pour abattre un âbre, et je recommence. C'te fois-citte, par exemple, je fais pas de question. «Je m'endors», que je crie à pleine tête.

— Va te coucher! que l'écho me réciproque sus un ton à se moquer de moi comme si elle avait été payée pour.

Ça fait rien, père Jos; comme je voulais en avoir le cœur net, je me décourage pas. J'avions pas mangé depuis le matin; l'estomac commençait à me tirailler...

— J'ai faim! que je criai encore de ma voix la plus caverneuse. Ma parole la plus sacrée, père Jos, cent taures auraient pas pu faire mieux, comme y disent queuque fois dans les livres.

Ah! la nom de gueuse d'écho! Vous êtes pas capable de deviner la grossièreté que l'infâme m'envoyit en pleine face. Je l'entendis tout à clair, comme si ça fut parti à côté de moi. Jamais j'avais encore été affronté de c'te façon-là. La gueule sale, père Jos!

— De quoi c'qu'a pouvait ben avoir dit?

— Ce qu'elle avait dit? Ça se répète pas, père Jos. Y a pas de polisson capable d'engueuler un homme respectable avec des paroles aussi peu polies que ça!

— Un émagination, mon pauv'Zèbe, que je dis.

— Un émagination?... Si vous aviez entendu ça, père Jos, et surtout si vous aviez fait c'que c'te damnée écho me disait de faire, vous auriez ben vu que c'était point de l'émagination. Jamais personne avait encore osé me fendre la face de c'te façon-là.

Vous le savez comme moi, père Jos, y a queuquefois des malappris dans les chanquiers; mais j'en ai jamais rencontré pour parler aussi crûment que c't'écho-là, à moins d'être en ribote[18]. Ah! LaPicotte pouvait ben le dire qu'a parlait aussi franc comme une grand'personne!

— Dame, que je dis, t'étais pas obligé de faire ce qu'a te commandait, elle était pas sous serment.

— N'importe, père Jos, qu'y dit, sous serment ou non, trouvez-vous ça ben naturel, vous?

— C'est selon.

— Comment c'est selon?

— Dame, écoute, les échos, ça pourrait ben être comme le monde, ça: y en a p'tête qui sont ben élevés, et pi d'autres qui le sont pas. C'est toujours pas de la faute à Johnny LaPicotte, ça!

— Hum!... fit Zèbe en tortillant sa chique sus tous les sens, pas de sa faute?... Sais pas trop! On me fera pas accraire qu'y a pas un peu de sorcilège[19] dans tout ça...

Pauv'Zèbe! un bon garçon fini, pas capable d'insulter une mouche, mais qui s'émaginait toujours avoir queuque sorcier à ses trousses. Jamais personne put y ôter de l'idée que Johnny LaPicotte parlait au diable, et qu'il avait fait connaissance avec la Hère. Le plus curieux, c'est qu'il s'était fourré dans le chignon que, moi étout, j'avais vu la Bête.

Je vous demande un peu!...

— Mais, en effet, s'écria quelqu'un parmi les auditeurs suspendus aux lèvres du vieux conteur, il me semble qu'on était réuni ce soir pour entendre parler de la Hère, et c'est à peine si vous nous en avez dit un mot. D'après ce que je peux voir, on n'est pas plus avancé qu'auparavant.

— Dame, fit en hésitant maître Jos Violon qui venait de rallumer sa pipe, je vous ai dit en commençant, c'pas, que les ceuses qu'ont eu le malheur de voir le monstre infernal, autrement dit la Hère ou la Bête à grand'queue, comme vous voudrez, en ont tout de suite perdu la mémoire, et que jamais personne a pu leux tirer du corps un motte sus la question.

Quant aux ceuses qui l'ont, pas vu, c'est comme pour tout le reste, y en a pas manque qu'en parlent, mais c'est comme pour tout le reste étout, y s'accordent tout ensemble, mais c'est pour se contredire.

Au bout du compte, c'est encore moi, Jos Violon, qu'en sais le plus long sus la Hère, parce que si je l'ai pas vue, moi, je peux au moins me vanter de l'avoir entendue.

Oui, un soir que je me promenais en fumant ma pipe avec Johnny LaPicotte, sus le bord de la rivière aux Rats, comme je vous disais tout à l'heure, la conversation tombit sus c'te drôle d'écho que Zèbe Roberge m'avait parlé.

— Tenez, père Jos, que me dit Johnny, vous êtes ben trop honnête homme, et vous avez de trop bon tabac pour qu'on vous blague. C'que Zèbe Roberge a entendu, c't'après-midi-là, tenez — faudra pas y dire, par exemple — c'était de l'émagination, rien que de l'émagination.

— C'était ben c'que je pensais, que je dis, et pourtant...

— Et pourtant... Eh ben, écoutez, père Jos, et dites rien.

Alors, les enfants, j'en frissonne encore, j'entendis une voix... une voix... ou plutôt un hurlement épouvantable qui sortait du bois et qui paraissait courir sus nous autres.

— Mon Dieu, qu'est-ce que c'est que ça? que je m'écriai.

— Ça, c'est la Hère, que dit Johnny.

— La Hère! sainte bénite! que je dis en faisant le signe de la croix des deux mains.

— Tut, tut, tut!... père Jos, que fit LaPicotte en me mettant la main sur l'épaule. Ayez pas peur, allez! Donnez-moi une pipe de votre bon tabac, seulement. C'est comme l'écho de Zèbe Roberge. Vous croyez avoir entendu la Hère; eh ben, c'était de l'imagination... Seulement, c'est pour ça comme l'aviron, y faut connaître la twiste.[20]

Jamais j'ai pu y en faire dire plus long, les enfants, malgré qu'après c'te fois-là, je m'aperçus qu'il chargeait de plus en plus fort dans ma blague. Ça, c'était pas de l'émagination, sûr et certain.

Toujours que ça rimait avec cloque... berloque... bad luck... quèque chose comme ça.

Pour le reste, on n'a jamais pu savoir.

Une fois, j'en ai parlé à M. le curé. Il m'a donné des esplications qu'étaient ben correctes, je cré, ben, mais que j'ai pas trop compris.

Ça parlait du vent... du ventre... ventri, menteri... je sais pas trop. Toujours que ça rimait avec cloque... berloque... *bad luck*[21]... quèque chose comme ça.

Enfin, j'vous conseillerais de pas trop vous fier à ce micmac-là.

L'Almanach du peuple Beauchemin, Montréal, Beauchemin, 38ᵉ année (1907), p. 179-188.

Notes

1 Juche.

2 Municipalité voisine de Saint-Nicolas, à l'est, dans la région de Lotbinière, appelée ainsi en l'honneur de saint Antoine de Padoue. «Le constituant **Tilly** fait allusion à la seigneurie de Villieu ou Tilly, concédée en 1672 à Pierre de Villieu, lieutenant au régiment de Carignan-Salières. Elle sera vendue en 1700 à Pierre-Noël Legardeur de Tilly (1652-1720).» (*Noms et lieux du Québec. Dictionnaire illustré*, p. 608.)

3 Voir «Le Money musk», note 19, p. 89.

4 Écrit *apertement*. Manifestement, ouvertement, clairement (Léandre Bergeron, *Dictionnaire de la langue québécoise*, 1981, p. 38).

5 Zèbe Roberge figure aussi dans un autre conte de Jos Violon, «Les lutins».

6 Rivière aux Rats. (*Cf.* «Tipite Vallerand», note 8, p. 13.)

7 Voir «Tipite Vallerand», note 3, p. 13.

8 Précipice.

9 Rengaine, rabâchage.

10 Voir le conte «Les lutins», p. 91-100.

11 Songeur, rêveur.

12 Interloquer, troubler, déranger (Gaston Dulong, *Dictionnaire des canadianismes*, 1999, p. 282).

13 Faire des parlements, c'est-à-dire faire parler, être l'objet de cancan.

14 Voir «Coq Pomerleau», note 18, p. 45.

15 Voir «Le diable des Forges», note 4, p. 62.

16 De bavarder. Parler beaucoup, à tort et à travers, commettre des indiscrétions.

17 Se piéter. V. pron. Se préparer hâtivement.

18 Une ribote est «une baratte à beurre de forme conique dans laquelle le pilon est actionné à la main», selon Gaston Dulong, *op. cit.*, p. 448. Être en ribote signifierait ici: à moins d'être mêlé, perdu, un peu fou.

19 Sortilège.

20 Aussi *touisse*. Tour, adresse, habileté.

21 Prononcer *bade-loque*. Malchance ou chance, selon le contexte.

BIBLIOGRAPHIE

I. Œuvres

Mes loisirs Poésies, Québec, Typographie de Léger Brousseau, 1863, 200 p.

La voix d'un exilé. À mes amis libéraux du Canada, [Chicago, s. é., 1866], 8 p.

> *La voix d'un exilé. Première et seconde année*, [Chicago, s. é.], 1868, 18 p.

Félix Poutré. Drame historique en quatre actes, Montréal, [s. é., 1871], 59 p.

Lettres à Basile à propos des Causeries du dimanche *de M. A.-B. Routhier*, Québec, Imprimé au bureau de «L'Événement», 1872, 81 p. [D'abord parues dans l'*Événement*, en 1871-1872.]

Pêle-mêle. Fantaisies et souvenirs poétiques, Montréal, Compagnie d'impression et de publication Lovell, 1877, 274 p. [Une autre édition la même année contenant aussi *La voix de l'exilé*, 332 p.]

Les oiseaux de neige. Sonnets, Québec, C. Darveau, imprimeur, 1879, 120 p.

Les renégats du 29 octobre: Paquet, Chauveau, Flynn, Racicot et Fortin, Montréal, [s. é.], 31 p.

Les fleurs boréales. Les oiseaux de neige. Poésies canadiennes, Québec, C. Darveau, 1879, 268 p. [Ouvrage couronné par l'Académie française.]

Le retour de l'exilé. Drame en cinq actes et huit tableaux [...] Représenté pour la première fois, le 1ᵉʳ juin 1880, Montréal, Chapleau & Lavigne, imprimeurs, 1880, 72 p.

Papineau. Drame historique en quatre actes et neuf tableaux, Montréal, Chapleau & Lavigne, imprimeurs, 1880, 100 p.

Petite histoire des rois de France, Montréal, [s. é., 1883], 125 p. [sous le pseudonyme Cyprien].

La légende d'un peuple. Poésies canadiennes. [Préface de Jules Claretie], Paris, À la Librairie illustrée, [1887], VII, 347 p.

Jean-Baptiste de La Salle, fondateur des Écoles chrétiennes. Poème lyrique, Montréal, [s. é.], 1889, 55 p.

Feuilles volantes. Poésies canadiennes, Québec, Imprimé par C. Darveau, 1890, 228 p.

Originaux et détraqués. Douze types québecquois, Montréal, Louis Patenaude, éditeur, 1892, 360[1] p.

À propos d'éducation. Lettres à l'abbé Baillairgé, Montréal, Cie d'imprimerie Desaulniers, 1893, 91 p.

Philippe N. Pacaud. Biographie, [s. 1. n. d.], 54 p.

La Noël au Canada. Contes et récits. Illustrés par Frederick Simpson Coburn, Toronto, George N. Morang, 1900, XIX, 288 p.

Bienvenue à son Altesse Royale le duc d'York et de Cornwall, Montréal, Granger et frères, 1901, 15 p.

Le héros de Saint-Eustache. Jean-Olivier Chenier. [Préface de L.-O. David], Montréal, Émile Demers, libraire-éditeur, [s. d.], 32 p.

Poésies choisies, Montréal, Librairie Beauchemin limitée, 1908, 3 vol.: première série: *La légende d'un peuple*. Préface de Jules Claretie, illustrations de Henri Julien, 370 p.; deuxième série: *I. Feuilles volantes. II. Oiseaux de neige*, 461 p.; troisième série: *I. Épaves poétiques. II. Véronica [Drame en cinq actes]*, 324[2] p.

Contes canadiens. Illustrations de Henri Julien, Montréal, Librairie Beauchemin limitée, 1919, 95 p. [Avec la collaboration de Paul Stevens et de Benjamin Sulte.]

Cent morceaux choisis... recueillis par sa fille Pauline Fréchette et dédiés aux petits enfants [sic] *du poète*. Préface de L.-O. David, Montréal, [s. é.], 1924, 240 p.

Contes d'autrefois. Illustrations de Henri Julien, Montréal, Beauchemin, 1946, 274[1] p. [Avec la collaboration de Paul Stevens et d'Honoré Beaugrand.]

Mémoires intimes. Texte établi et annoté par George A. Klinck, préface de Michel Dassonville, Montréal et Paris, Fides, [1961], 200 p. (Collection du Nénuphar).

Contes de Jos Violon. Présentées par Victor-Lévy Beaulieu, notes de Jacques Roy, illustrés par Henri Julien, [Montréal], L'Aurore, [1974], 143 p.

Contes II. Masques et fantômes et autres contes épars [Préface d'Aurélien Boivin et de Maurice Lemire], Montréal, Fides, 1976, 370[2] p. (Collection du Nénuphar).

II. Études

BOIVIN, Aurélien, «Jos Violon, un vrai conteur populaire au XIXe siècle», *Francophonie d'Amérique*, n° 5 (1995), p. 189-207.

—, «Le conte littéraire québécois au XIXe siècle», *La Licorne* (Université de Poitiers), numéro spécial intitulé *Littérature de langue française en Amérique du Nord*, 1er trimestre 1994, p. 47-60.

—, «Jos Violon et l'art de conter: la fortune d'un conteur populaire québécois au XIXe siècle», dans *Iris* (Centre de recherche sur l'imaginaire de l'Université de Grenoble), numéro spécial («Imaginaire & Communication»), septembre 1993, p. 75-93.

GAUVIN, Lise. «Fréchette: des quiproquos dramatiques à l'ironie du conteur», *Livres et auteurs québécois*, 1974, p. 338-348.

LEMIRE, Maurice. «Le discours répressif dans le conte littéraire québécois au XIXe siècle», *Canada ieri e oggi. Atti del be Convegno internazionale di studi candesi*, Selva di Fasano 27-31 marzo 1985, Biblioteca della ricerca. Cultura staniera 11, Schena editore, 1985, p. 105-131.

LEMIRE, Maurice, et Jacques ROY, «*La Noël au Canada* et autres contes de Louis Fréchette», dans Maurice LEMIRE [directeur], *Dictionnaire des œuvres littéraires du Québec*, t. I: *des origines à 1900*, Montréal, Fides, 1978, p. 516-521.

III. Ouvrages généraux de références

BELISLE, Louis A., *Petit dictionnaire canadien de la langue française*, Montréal, Les éditions Ariès, inc., [1969], 644 p.

BERGERON, Léandre, *Dictionnaire de la langue québécoise*, [Montréal], VLB éditeur, [1981], 574 p.

COMMISSION DE TOPONYMIE, *Noms et lieux du Québec. Dictionnaire illustré*, Québec, Les publications du Québec, [1994], 925 p. Cartes, ill.

DIONNE, Narcisse-Eutrope, *Le parler populaire des Canadiens français*, Québec, Les Presses de l'Université Laval, 1974, 671 p. [Reproduction de l'édition originale de 1909].

DULONG, Gaston, *Dictionnaire des canadianismes.* Nouvelle édition revue et augmentée, [Sillery], Septentrion, [1999], 549 p.

DUNN, Oscar, *Glossaire franco-canadien*, Québec, Les Presses de l'Université Laval, 1995, 196[3] p. [Reproduction de l'édition originale de 1880].

POIRIER, Claude [directeur], *Dictionnaire historique du français québécois*, Sainte-Foy, Les Presses de l'Université Laval, 1998, LX[8], 640[1] p.

ROUILLARD, Eugène, *Dictionnaire des rivières et des lacs de la Province de Québec*, Québec, Département des Terres et des Forêts, 1914, 432 p.

ACHEVÉ D'IMPRIMER
EN L'AN MIL NEUF CENT QUATRE-VINGT-DIX-NEUF
SUR LES PRESSES DES ATELIERS GUÉRIN
MONTRÉAL (QUÉBEC)